Allemand

Bettina Schödel

B.P. 25
94431 Chennevières sur Marne cedex
France

Cet ouvrage ne prétend pas remplacer un cours de langue, mais si vous investissez un peu de temps dans sa lecture et apprenez quelques phrases, vous pourrez très vite communiquer. Tout sera alors différent, vous vivrez une expérience nouvelle.

Un conseil : ne cherchez pas la perfection ! Vos interlocuteurs vous pardonneront volontiers les petites fautes que vous pourriez commettre au début. **Le plus important, c'est d'abandonner vos complexes et d'oser parler.**

Partie IV

Introduction

↗ **Comment utiliser ce guide**

La partie "Initiation"

Vous disposez d'une petite demi-heure quotidienne ? Vous avez trois semaines devant vous ? Alors commencez par la partie "Initiation", 21 mini-leçons qui vous donnent sans complications inutiles les bases de l'allemand usuel, celui dont vous aurez besoin pour comprendre et parler :

- lisez la leçon du jour en suivant le texte puis dites vous-même les phrases en consultant la traduction et la transcription ;
- lisez ensuite les brèves explications grammaticales : elles vous expliquent quelques mécanismes que vous pourrez vous-même mettre en œuvre ;
- faites le petit exercice final, vérifiez que vous avez tout juste… et n'oubliez pas la leçon suivante le lendemain !

La partie "Conversation"

Pour toutes les situations courantes auxquelles vous allez être confronté durant votre voyage, la partie "Conversation" de ce guide vous propose une batterie complète d'outils : des mots, mais aussi des structures de phrases variées que vous pourrez utiliser en contexte. Tous les mots sont accompagnés de leur traduction (et parfois le "mot à mot" si la structure est très différente du français) et d'une transcription figurée simple qui vous dit comment il faut les prononcer. Même si vous n'avez aucune connaissance préalable de l'allemand, ce "kit de survie" prêt à l'usage fera de vous un voyageur autonome.

↗ L'Allemagne et l'Autriche : faits et chiffres

	Allemagne	Autriche
Superficie	360 000 km²	84 000 km²
Population	82 millions d'habitants	un peu plus de 8 millions d'habitants
Capitale	Berlin	Vienne
Frontières maritimes	Mer du Nord, Mer Baltique	Aucune
Frontières terrestres	Pays-Bas, Belgique, Luxembourg, France, Suisse, Autriche, République Tchèque, Pologne, Danemark	République Tchèque, Allemagne, Italie, Slovénie, Croatie, Hongrie, Slovaquie
Langue officielle	Allemand	Allemand
Régime politique	Démocratie parlementaire	Démocratie parlementaire
Fête nationale	3 octobre	26 octobre
Religions (majoritaires)	Protestantisme (majoritairement évangélique), catholicisme	Catholicisme

L'Allemagne (officiellement **Bundesrepublik Deutschland** *[boun-dess-répoublik doïtch-la'nt], République Fédérale d'Allemagne*) est le pays le plus densément peuplé et la première puissance économique de l'Union européenne (4ᵉ au rang mondial). Elle se divise en 16 régions autonomes avec une population plus dense à l'Ouest qu'à l'Est. En effet, on rencontre d'importantes concentrations urbaines à l'ouest et au sud du pays et 90 % de la population vit en ville. Cependant il n'existe pas de métropole écrasante comme Paris ou Londres. Il y a en tout 81 villes de plus de 100 000 habitants dont 4 de 1 000 000 d'habitants ou plus : **Berlin** *[bèrli:n]* (de nouveau capitale depuis la réunification en 1990), **München** *[mu'nch☺'n]*, *Munich*, **Köln** *[keu:ln]*, *Cologne*, et **Hamburg** *[Ha'mbourk]*, *Hambourg*. L'Autriche, **Österreich** *[eu:stª-raïch☺]*, pays de forme allongée et sans accès à la mer, se situe en Europe centrale. Les Alpes occupent les deux tiers de la surface au sol, et le point le plus haut est le **Großglockner** *[grô:ss-gloknª]* qui s'élève à 3 797 mètres d'altitude. La langue officielle est l'allemand, mais la Charte européenne reconnaît aussi les langues régionales ou minoritaires : le croate, le hongrois et le slovène.

↗ L'Allemagne et l'Autriche : données historiques

L'histoire de l'Allemagne est marquée par de nombreuses guerres, divisions et des siècles de domination autrichienne.

1871 est une date décisive. Cette année-là, l'unité allemande fut scellée et l'Empire allemand, **das Kaiserreich** *[dass kaïzª-raïch☺]*, proclamé. Celui-ci s'effondra suite à la défaite allemande lors de la Première Guerre mondiale et fit place à la République, **das III Reich** *[dass dritœ raïch☺]*, *le IIIᵉ Reich*, qui, à son tour, prit fin en 1945. En 1949, dans le contexte de la guerre froide, les zones d'occupation donnèrent naissance à deux États, **Westdeutschland** *[vèst-doïtch-la'nt]*, *Allemagne de l'Ouest*, sous protectorat américain et **Ostdeutschland** *[ost-doïtch-la'nt]*, *Allemagne de l'Est*, sous domination soviétique. Le 3 octobre 1990, huit mois après la chute du mur de Berlin, le pays fut réunifié et il s'efforce depuis de retrouver une unité. Malgré tout, la frontière est toujours présente dans certains, voire beaucoup d'esprits, car les différences furent très marquées pendant ces quarante-cinq années de séparation. On parle encore souvent des **neue und alte Bundesländer** *[noïœ ount altœ boundess-lèndª]*, *nouvelles et anciennes régions autonomes allemandes*, les nouvelles étant celles de l'ex-Allemagne de l'Est.

Peut-être entendrez-vous parfois les termes de **Wessis** *[vèssis]*, *gens de l'ouest*, et **Ossis** *[ossis]*, *gens de l'est*, ce dernier ayant une connotation péjorative.

Petit pays aujourd'hui, l'Autriche appartenait de 1278 à 1918, sauf entre 1308 et 1438, à la dynastie des Habsbourg et se trouvait pendant plusieurs siècles à la tête du Saint Empire romain germanique, jusqu'à sa dissolution en 1806. La première moitié du XIXe siècle marqua l'apogée de l'empire autrichien qui comprenait à cette époque, outre l'Autriche, la Hongrie, la Bohême, la Galicie, le nord de l'Italie, la Croatie et la Slovénie. Puis peu à peu commença son déclin. Le territoire ayant été considérablement réduit, l'Autriche accepta d'être rattachée à l'Allemagne (**Anschluss** *[a'nchlouss], rapprochement*) entre 1938 et 1945. De nouveau république indépendante après la guerre, l'Autriche réussit à bien redresser son économie et rejoignit l'Union européenne en 1995. Elle fédère aujourd'hui 9 **Bundesländer** *[boundess-lènd[a]]* et sa capitale **Wien** *[vi:n], Vienne*, est de loin la ville la plus densément peuplée avec environ 1 700 000 habitants, suivie de **Graz** *[gra:tss]* 250 000 habitants, **Linz** *[li'ntss]* 190 000 habitants et **Salzburg** *[zaltssbourg], Salzbourg* 150 000 habitants.

↗ La langue allemande

L'allemand est, avec 100 millions de locuteurs environ, la langue maternelle la plus parlée dans l'Union européenne, soit près du quart de la population européenne actuelle. Langue officielle en Allemagne, en Autriche, en Suisse alémanique et au Liechtenstein, l'allemand est aussi parlé au Luxembourg, en Belgique par une communauté germanophone intégrée dans la région wallonne, et dans certains pays de l'ancien bloc de l'Est. Dans ce guide nous vous présentons un allemand standard, le

Hochdeutsch *[HôrH-doïtch]*, langue officielle des pays et régions germanophones avec laquelle vous pourrez facilement communiquer. Néanmoins vous remarquerez qu'il existe de nombreuses langues régionales avec des spécificités au niveau de la prononciation, du vocabulaire et parfois même de la grammaire. Un même nom commun peut être masculin et féminin à la fois : par ex., *le beurre* se dit **der Butter** *[dè:r (m.) bout ͤ]* en Suisse alémanique et *[di (f.) bout ͤ]* en Allemagne.

Beaucoup de francophones ressentent l'allemand comme étant une langue compliquée car très différente du français au niveau de la syntaxe (verbe en fin de phrase), des déclinaisons, etc. Mais la grammaire est logique et structurée et presque tout s'explique, contrairement au français, avec ses nombreuses exceptions. De plus l'allemand s'écrit tel qu'il se prononce ce qui permet de déchiffrer assez facilement des indications écrites.

↗ Indications sur la prononciation

Contrairement au français, la prononciation allemande est assez hachée et les mots sont très articulés, comme dans **in** *[i'n]*, *dans*, où le **i** et le **n** se prononcent distinctement. Dans ce cas, la phonétique simplifiée sépare les deux lettres par une apostrophe. Les deux points placés derrière une voyelle signifient que celle-ci doit se prononcer de manière longue : **wohnen** *[vô:ne'n]*, *habiter*. Par ailleurs, l'alphabet allemand comporte une lettre de plus que le français, le **ß**, *[èss tssèt]*, qui se prononce comme deux **s**, et les voyelles **a**, **o** et **u** peuvent porter un tréma. Vous trouverez dans les rabats un tableau présentant l'alphabet et des indications de phonétique détaillées qui vous aideront pour la prononciation. Vous remarquerez également que la langue allemande utilise beaucoup de mots composés qui peuvent être très longs. Pour vous aider dans la compréhension des termes, nous séparons dans la transcription phonétique (sauf pour quelques exceptions) les entités de mots composés par un tiret : **Doppelzimmer** [d*o*pel-tssim*ᵃ*], *chambre double*.

Notez qu'en allemand le pronom personnel "vous" se traduit de deux façons différentes : le "vous" exprimant le tutoiement pluriel (= **ihr**), et le "vous" de vouvoiement (= **Sie**, avec majuscule). Afin de les distinguer, nous avons ajouté les abréviations (t.pl. = tutoiement pluriel) et (v. = vouvoiement).

Enfin, il se peut que vous remarquiez de légères variations de la langue par rapport à la transcription phonétique dans la mesure où la prononciation varie d'une région à l'autre.

Initiation

↗ **1er jour**

Es geht los!
On y va !

1   **der Mann**
dè:r ma'n
le homme/le mari
l'homme/le mari

2   **die Frau**
di fraô
la femme/la épouse
la femme/l'épouse

3   **das Mädchen**
dass mè:dch☺'n
la fille
la fille

4   **die Jungen**
di y(oung)'n
les garçons
les garçons

Notes de grammaire

L'allemand possède trois genres : le masculin et le féminin, comme en français, et le neutre. Pour les êtres animés, il y a souvent une relation entre le genre et le sexe, par ex. **der Mann**, *l'homme/le mari*, est masculin, **die Frau**, *la femme/l'épouse*, est féminin et les petits des êtres vivants sont généralement neutres.

Cependant, certaines terminaisons sont propres au masculin, féminin ou neutre, par ex. la terminaison **-chen** implique le neutre comme dans **das Mädchen**, *la fille*. Les mots d'origine étrangère sont souvent neutres, sauf ceux se terminant par **-e** qui sont féminins.

À chaque genre correspond un article défini : **der** pour le masculin singulier, **die** pour le féminin singulier, **das** pour le neutre singulier et **die** pour le pluriel du masculin, féminin et neutre. Notez que le pluriel est toujours le même pour les trois genres.

	Masculin	Féminin	Neutre	Pluriel
Nominatif	der	die	das	die

Dans cette leçon, nous commençons par le premier cas des déclinaisons, le nominatif, qui marque le sujet. Il y a en tout quatre cas et l'article peut changer en fonction de celui-ci.

Vous remarquerez que tous les noms communs commencent par une majuscule. À part cette particularité, la règle pour les minuscules et majuscules est la même en allemand qu'en français.

Wie sieht er aus?
Comment est-il ?

1 **Dieser Herr ist alt. Diese Herren sind alt.**

di:zª Hèr ist alt. di:zœ Hère'n zi'nt alt

ce monsieur est vieux. ces messieurs sont vieux

Ce monsieur est vieux. Ces messieurs sont vieux.

2 **Diese Dame ist jung. Diese Damen sind jung.**

di:zœ da:mœ ist y(oung). di:zœ da:me'n zi'nt y(oung)

cette dame est jeune. ces dames sont jeunes

Cette dame est jeune. Ces dames sont jeunes.

3 **Dieses Kind ist klein. Diese Kinder sind klein.**

di:zess ki'nt ist klaïn. di:zœ ki'ndª zi'nt klaïn

cet enfant est petit. ces enfants sont petits

Cet enfant est petit. Ces enfants sont petits.

4 **Diese Jungen sind groß.**

di:zœ y(oung)'n zi'nt gro:ss

ces garçons sont grands

Ces garçons sont grands.

Notes de grammaire

L'article démonstratif se décline comme l'article défini **der** :

	Masculin	Féminin	Neutre	Pluriel
Nominatif	dieser	diese	dieses	diese

La règle du pluriel des substantifs est assez complexe et comporte de nombreuses exceptions ou terminaisons. De ce fait, nous vous indiquons dans ce guide, si nécessaire, les substantifs avec leur pluriel.

Notez que l'adjectif attribut ne s'accorde ni en genre ni en nombre.

Entraînement – Traduisez les phrases suivantes
1. Ce garçon est petit.
2. Cette fille est petite.
3. **Dieser Mann ist alt.**
4. **Diese Mädchen sind jung.**

Solutions
1. **Dieser Junge ist klein.**
2. **Dieses Mädchen ist klein.**
3. Cet homme est vieux.
4. Ces filles sont jeunes.

Wer sind diese Leute?
Qui sont ces personnes ?

1 Wer ist das?

vè:r ist dass

qui est ce

Qui est-ce ?

2 Das ist eine Freundin von Peter.

*dass ist **aï**nœ **froï**ndi'n fo'n p**é**:tᵃ*

ça est une amie de Peter

C'est une amie de Peter.

3 Das sind Freunde von Peter.

*dass zi'nt **froï**ndœ fo'n p**é**:tᵃ*

ce sont amis de Peter

Ce sont des amis de Peter.

4 Ich bin keine Freundin von Peter.

*ich☺ bi'n **kaï**nœ **froï**ndi'n fo'n p**é**:tᵃ*

je suis pas-une amie de Peter

Je ne suis pas une amie de Peter.

Notes de grammaire

Ein, **eine**, **ein** correspond à l'article indéfini et n'a pas de pluriel (ph. 3). **Kein**, **keine** est la forme négative et se traduit par *pas un, pas une*. Elle a aussi un pluriel, **keine** qui en français équivaut à *pas de*.

	Masculin	Féminin	Neutre	Pluriel
Nominatif	ein/kein	eine/keine	ein/kein	- /keine

Vous pouvez repérer dans ces exemples, la préposition **von**, *de*, et le pronom interrogatif **wer**, *qui.* Ce dernier, nous le verrons par la suite, se décline également.

Entraînement – Traduisez les phrases suivantes

1. Ce ne sont pas des enfants.

2. Ce sont des enfants.

3. Das ist ein Junge.

4. Das ist ein Mädchen.

Solutions

1. Das sind keine Kinder.

2. Das sind Kinder.

3. C'est un garçon.

4. C'est une fille.

↗ 4ᵉ **jour**

Hallo, wie heißen Sie?
Bonjour, comment vous appelez-vous ?

1   Wie ist dein Name?

vi: ist daïn na:mœ

comment est ton nom
Quel est ton nom ?

2   Was bist du von Beruf?

vass bist dou: fo'n bérou:f

que es tu de métier
Quel est ton métier ?

3   Ich bin Lehrer.

ich☺ bi'n lé:rᵃ

je suis professeur
Je suis professeur.

4   Sie wird Lehrerin.

zi: virt lé:reri'n

elle deviendra professeur
Elle sera professeur.

Notes de grammaire

Voici la conjugaison de **sein**, *être*, et **werden**, *devenir/être*. Nous voyons par la même occasion la déclinaison du pronom personnel au nominatif.

Notez que **sein** sert d'auxiliaire pour former le passé composé et **werden** le futur, le conditionnel et le passif. Nous y reviendrons dans les chapitres ultérieurs.

	ich	du	er/sie/es	wir	ihr	sie/Sie
sein	bin	bist	ist	sind	seid	sind
werden	werde	wirst	wird	werden	werdet	werden

Remarque : **er** est le pronom personnel masculin, **sie** le pronom féminin et **es** le pronom neutre. **Sie** avec **S** majuscule + verbe à la 3ᵉ personne du pluriel correspond à la forme de politesse au singulier et au pluriel.

Vous pouvez également identifier deux nouveaux pronoms interrogatifs : **wie**, *quel(s)/quelle(s)* ou *comment*, et **was**, *que, quel(s)/quelle(s)*.

Entraînement – Traduisez les phrases suivantes
1. Êtes-vous des amis de Sabine (t.pl.) ?
2. Êtes-vous le mari de Sabine (v.) ?
3. Ich werde Lehrer.
4. Du bist jung.

Solutions
1. Seid ihr Freunde von Sabine?
2. Sind Sie der Mann von Sabine?
3. Je serai professeur.
4. Tu es jeune.

↗ 5e jour

Was machen Sie?
Que faites-vous ?

1 Ich lerne Deutsch.

ich☺ lèrnœ doïtch

je apprends allemand

J'apprends l'allemand.

2 Er studiert an der Universität.

*è:r chtoudi:rt a'n dè:r **ou**niverzitè:t*

il étudie à la université

Il étudie à l'université.

3 Studiert ihr auch?

chtoudi:rt i:r aôrH

étudiez vous aussi

Êtes-vous aussi étudiants ?

4 Wir studieren nicht, wir arbeiten.

*vi:r chtoudi:r'n nich☺t vi:r **ar**baït'n*

nous étudions pas nous travaillons

Nous n'étudions pas, nous travaillons.

Notes de grammaire

Cette leçon aborde le présent. Il se forme généralement à partir du radical (**-en** étant la terminaison infinitive de tous les verbes à part **sein**) et des terminaisons du tableau se trouvant page suivante. Seule nuance, les verbes dont le radical se termine par **-t**, comme **arbeiten**, *travailler*, prennent un **-e-** à la 2e personne du singulier et du pluriel et à la 3e personne du singulier :

	ich	du	er/sie/es	wir	ihr	sie/Sie
kommen	komme	kommst	kommt	kommen	kommt	kommen
studieren	studiere	studierst	studiert	studieren	studiert	studieren
arbeiten	arbeite	arbeitest	arbeitet	arbeiten	arbeitet	arbeiten

Notez la syntaxe de la phrase interrogative : verbe + sujet + complément avec éventuellement un pronom interrogatif en tête de phrase.

La négation **nicht** traduit le français *ne… pas* et se place généralement derrière le verbe ou l'auxiliaire pour les temps composés.

Entraînement – Traduisez les phrases suivantes

1. Ils étudient à Berlin.
2. Travaillez-vous à l'université (v.) ?
3. Kommst du aus Bonn?
4. Er kommt nicht aus Bonn.

Solutions

1. Sie studieren in Berlin.
2. Arbeiten Sie an der Universität?
3. Viens-tu de Bonn ?
4. Il ne vient pas de Bonn.

Im Ausland!
À l'étranger.

1   Wohin fährt sie? – Nach Deutschland.

vô-Hi'n fè:rt zi: – na:rH doïtch-la'nt

où roule elle – vers Allemagne

Où va-t-elle ? – En Allemagne.

2   Wo wohnst du? – In Wien.

vô: vô:nst dou: – i'n vi:n

où habites tu – dans Vienne

Où habites-tu ? – À Vienne.

3   Woher kommen Sie? – Aus Brüssel.

vô-Hèr kome'n zi: – aôss brussel

D'où venez-vous ? – De Bruxelles.

4   Sprichst Du Deutsch?

chprich☺st dou: doïtch

parles tu allemand

Parles-tu allemand ?

Notes de grammaire

Certains verbes sont irrégullers au présent. Leur radical change à la 2ᵉ et 3ᵉ personne du singulier : **a** devient **ä**, **e** devient **i** ou **ie** dans d'autres cas. Notez que ces verbes sont aussi irréguliers au passé (leçons 19 et 20).

	ich	du	er/sie/es	wir	ihr	sie/Sie
fahren	fahre	fährst	fährt	fahren	fahrt	fahren
sprechen	spreche	sprichst	spricht	sprechen	sprecht	sprechen

Vous pouvez aussi identifier les pronoms interrogatifs **wohin**, *où* (destination), **wo**, *où* (locatif), **woher**, *d'où*, et les prépositions **in**, *à* (locatif), **aus**, *de* (provenance), **nach**, *à* (destination) suivies d'un nom de pays ou de ville.

Quelques noms de pays prennent un article, comme **die Schweiz**, *la Suisse*. Dans ce cas, **wohin** implique une réponse avec la préposition **in** et non **nach** : **Ich fahre in die Schweiz**, *Je vais en Suisse*. **In** sert alors à exprimer une destination et non le lieu où l'on se trouve. Pour **wo** et **woher** par contre, il n'y a pas de changement. Notez qu'en allemand le verbe *aller* se traduit de trois manières différentes : **gehen**, *aller à pied/marcher*, **fliegen**, *aller en avion*, **fahren**, *aller en voiture*.

Entraînement – Traduisez les phrases suivantes
1. Oui, je vais à Berlin (en voiture).
2. Il parle allemand.
3. Woher kommen sie?
4. Fährst du nach Berlin?

Solutions
1. Ja, ich fahre nach Berlin.
2. Er spricht Deutsch.
3. D'où viennent-ils ?
4. Vas-tu à Berlin ?

Zu Befehl!
À vos ordres !

1   Fahr nicht zu schnell!

fa:r nich☺t tssou chnèl

roule pas trop vite

Ne roule pas trop vite !

2   Kommen Sie früh!

kome'n zi: fru:

venez vous tôt

Venez tôt !

3   Sprich bitte langsamer!

*chprich☺ bitœ l(**ang**)zamᵃ*

parle s'il-te-plaît plus-lentement

Parle plus lentement, s'il te plaît !

4   Ruf sie an!

rou:f zi: a'n

Appelle-la !

Notes de grammaire

L'usage de l'impératif est le même qu'en français :

Komm! *Viens !*

Kommen wir (…)! *Venons (en …) !*

Kommt! *Venez !*

Kommen Sie (v.)! *Venez !*

Sprich Deutsch! *Parle allemand !*

Sprechen wir Deutsch! *Parlons allemand !*

Sprecht Deutsch! *Parlez allemand !*

Sprechen Sie (v.) Deutsch! *Parlez allemand !*

Il se forme comme suit : la 2e personne du singulier perd la terminaison -**st** du présent et dans le cas d'un verbe comme **fahren**, *rouler*, son tréma. La 2e personne du pluriel correspond au présent. La 1re personne du pluriel et le vouvoiement correspondent aussi au présent avec une inversion sujet/verbe.

Dans la phrase 4, vous pouvez identifier un verbe à particule séparable : **anrufen**, *appeler*. Comme l'indique son nom, la particule se sépare du verbe et est rejetée en fin de phrase. Nous y reviendrons en leçon 18.

Entraînement − Traduisez les phrases suivantes

1. Viens vite !
2. Je n'ai pas besoin de taxi.
3. **Arbeitet bitte!**
4. **Rufen Sie sie an!**

Solutions

1. **Komm schnell!**
2. **Ich brauche kein Taxi.**
3. Travaillez s'il vous plaît !
4. Appelez-la !

Sich kennen lernen
Faire connaissance

1 **Kennst du den Herrn da? – Nein, ich kenne ihn nicht.**

kènst dou: dé:n Hèrn da: — naïn ich☺ kènœ i:n nich☺t

connais tu le monsieur là – non je connais le pas

Connais-tu ce monsieur ? – Non, je ne le connais pas.

2 **Freut mich, dich kennen zu lernen.**

froït mich☺ dich☺ kène'n tssou lèrne'n

réjouit moi toi connaître à apprendre

Je suis content(e) de faire ta connaissance.

3 **Ich treffe sie zum ersten Mal.**

ich☺ trèfœ zi: tssoum èrst'n ma:l

je rencontre la pour la première fois

Je la rencontre pour la première fois.

4 **Für wen ist das? – Für dich.**

fu:r vé:n ist dass — fu:r dich☺

pour qui est ça – pour toi

Pour qui est-ce ? – Pour toi.

Notes de grammaire

Nous découvrons ici l'accusatif. Il répond à la question **wen**, *qui*, ou **was**, *quoi/que*, et s'emploie pour marquer un complément d'objet direct, comme **jemanden/etwas kennen**, *connaître quelqu'un/quelque chose*, ou bien après certaines prépositions comme **für**, *pour*, **durch**, *à travers*, etc.

Attention : certains verbes en allemand impliquent l'accusatif alors qu'en français ils entraînent un complément d'objet indirect

et vice versa, par ex. **jemanden fragen**, *demander à quelqu'un* :
Ich frage den Mann, *Je demande au monsieur.*

Les tableaux ci-dessous indiquent l'accusatif de l'article défini, de l'article démonstratif et du pronom personnel.

	Masculin	Féminin	Neutre	Pluriel
Accusatif	den/diesen	die/diese	das/dieses	die/diese

Nominatif	ich	du	er/sie/es	wir	ihr	sie/Sie
Accusatif	mich	dich	ihn/sie/es	uns	euch	sie/Sie

Dans la phrase 2, vous pouvez aussi identifier un verbe pronominal. Le pronom personnel réfléchi se décline alors comme le pronom personnel sauf à la troisième personne du singulier et du pluriel :

Accusatif	mich	dich	sich	uns	euch	sich

Entraînement – Traduisez les phrases suivantes

1. C'est pour cette dame.
2. Elle le rencontre demain.
3. **Ich kenne ihn.**
4. **Ich kenne die Kinder von Thomas.**

Solutions

1. **Das ist für diese Dame.**
2. **Sie trifft ihn morgen.**
3. Je le connais.
4. Je connais les enfants de Thomas.

Haben Sie alles?
Avez-vous tout ce qu'il faut ?

1   **Hast du einen Ausweis dabei?**
*Hast dou: **aï**ne'n **aô**ssva**ï**ss da-b**aï***
as tu une pièce-d'identité là-avec
As-tu une pièce d'identité sur toi ?

2   **Ich habe eine Tasche und einen Koffer.**
*ich☺ I Ia:bœ **aï**nœ tachœ ounl aïne'n Kofᵘ*
je ai un sac et une valise
J'ai un sac et une valise.

3   **Ich habe kein Geld für das Taxi.**
*ich☺ Ha:bœ ka**ï**n guèlt fu:r dass t**a**xi*
je ai pas argent pour le taxi
Je n'ai pas d'argent pour le taxi.

4   **Ich brauche auch eine Busfahrkarte.**
*ich☺ bra**ô**rHœ **aô**rH **aï**nœ b**ou**ss-fa:r-kartœ*
je nécessite aussi un bus-roule-carte
Il me faut aussi un ticket de bus.

Notes de grammaire

Abordons l'article indéfini et la négation **kein** à l'accusatif.
Vous pouvez également identifier le verbe **haben**, *avoir*.

	Masculin	Féminin	Neutre	Pluriel
Accusatif	einen/keinen	eine/keine	ein/kein	- /keine

	ich	du	er/sie/es	wir	ihr	sie/Sie
haben	habe	hast	hat	haben	habt	haben

Attention : le verbe **brauchen** (ph. 4), *avoir besoin de,* implique l'accusatif.

Entraînement – Traduisez les phrases suivantes
1. As-tu besoin d'un sac ?
2. Il n'y a pas de bus.
3. **Hast du eine Tasche?**
4. **Wir haben keinen Koffer.**

Solutions
1. **Brauchst du eine Tasche?**
2. **Es gibt keinen Bus.**
3. As-tu un sac ?
4. Nous n'avons pas de valise.

Die Familie vorstellen
Présenter la famille

1   Ich weiß nicht, wer dein Bruder ist.
*ich☺ vaïss nich☺t vè:r daïn br**ou**:dᵃ ist*
je sais pas qui ton frère est
Je ne sais pas qui est ton frère.

2   Das ist Paul. Seine Mutter ist Deutsche.
*dass ist p**aô**l. z**aï**nœ m**out**ᵃ ist d**oï**tchœ*
ça est Paul. sa mère est allemande
C'est Paul. Sa mère est allemande.

3   Das ist Sabine. Ihr Vater ist Deutscher.
*dass ist z**a**bi:nœ. i:r v**a**:tᵃ ist d**oï**tchᵃ*
ça est Sabine. son père est allemand
C'est Sabine. Son père est allemand.

4   Kennst du meine Schwester?
*kènst dou: m**aï**nœ chv**è**stᵃ*
connais tu ma sœur
Connais-tu ma sœur ?

Notes de grammaire

Cette leçon traite de l'emploi de l'adjectif possessif. Attention à la 3ᵉ personne du singulier : si le possesseur est masculin ou neutre, on utilise l'adjectif possessif **sein(e)**, et si le possesseur est féminin l'adjectif possessif **ihr(e)**. Vous remarquerez également que **ihr(e)** correspond à la troisième personne du pluriel et **Ihr(e)** (avec un **I** majuscule) à la forme de politesse.

Les déclinaisons sont les mêmes que pour **ein**, par ex. **(m)ein** masculin nominatif et **(m)einen** masculin accusatif ou bien (m)eine au féminin nominatif et (m)eine au féminin accusatif (leçon 9). Au pluriel, l'adjectif possessif se décline comme **keine** pluriel.

Nominatif	ich	du	er/es	sie	wir	ihr	sie/Sie
Masculin/neutre	mein	dein	sein	ihr	unser	euer	ihr/Ihr
Féminin/pluriel	meine	deine	seine	ihre	unsere	eure	ihre/Ihre

Vous pouvez aussi identifier le verbe **wissen**, *savoir*. Attention à sa conjugaison : **ich weiß, du weißt, er/sie/es weiß, wir wissen, ihr wisst, sie/Sie wissen.**

Entraînement – Traduisez les phrases suivantes

1. Où habite ton frère ?
2. Où étudient vos enfants (v.) ?
3. **Unsere Mutter ist in München.**
4. **Ich kenne seine Mutter.**

Solutions

1. **Wo wohnt dein Bruder?**
2. **Wo studieren Ihre Kinder?**
3. Notre mère est à Munich.
4. Je connais sa mère <u>(à lui)</u>.

Zu Fuß? Nein!
À pied ? Non !

1 **Er will mit dem Bus fahren.**

è:r vil mit dé:m bouss fa:r'n

il veut avec le bus rouler

Il veut prendre le bus.

2 **Sie kann Auto fahren.**

*zi: ka'n **aô**to fa·r'n*

elle sait auto rouler

Elle sait conduire.

3 **Wir mussten auf den Zug warten.**

*vi:r m**ou**sst'n **aô**f dé:n tssou:k vart'n*

nous devions sur le train attendre

Nous devions attendre le train.

4 **Im Flugzeug darf man nicht rauchen.**

*i'm fl**ou**:k-tssoïg darf ma'n nich☺t ra**ô**rH'n*

dans avion a-droit on pas fumer

On n'a pas le droit de fumer dans l'avion.

Notes de grammaire

Ce chapitre est consacré aux verbes de modalité : **müssen**, *devoir* (obligation, ordre), **sollen**, *devoir* (sens plus atténué ou moral), **dürfen**, *être autorisé*, **wollen**, *vouloir* (insistance) et **können**, *pouvoir, savoir/être capable*. Comme en français, les verbes de modalités entraînent un infinitif. Celui-ci est rejeté en fin de phrase et peut dans certains cas être sous-entendu (exercice ph. 3).

Présent et prétérit (= temps du passé)

	ich	du	er/sie/es	wir	ihr	sie/Sie
müssen	muss musste	musst musstest	muss musste	müssen mussten	müsst musstet	müssen mussten
sollen	soll sollte	sollst solltest	soll sollte	sollen sollten	sollt solltet	sollen sollten
dürfen	darf durfte	darfst durftest	darf durfte	dürfen durften	dürft durftet	dürfen durften
wollen	will wollte	willst wolltest	will wollte	wollen wollten	wollt wolltet	wollen wollten
können	kann konnte	kannst konntest	kann konnte	können konnten	könnt konntet	können konnten

Entraînement − Traduisez les phrases suivantes

1. Elle sait parler allemand.

2. Elle ne pouvait pas venir.

3. Sie müssen langsamer fahren.

4. Du darfst nicht rauchen.

Solutions

1. Sie kann Deutsch (sprechen). (sprechen peut être sous-entendu)

2. Sie konnte nicht kommen.

3. Vous devez rouler moins vite/plus lentement.

4. Tu n'as pas le droit de fumer.

Was wünschen Sie?
Que désirez-vous ?

1 Ich würde gern/möchte ins Kino gehen.

*ich☺ vurdœ guèrn/m**eu**ch☺tœ i'nss ki:nô gu**é**:e'n*

je voudrais volontiers/aimerais dans-le cinéma aller

Je voudrais aller au cinéma.

2 Was würdest du gern/möchtest du essen?

*vass vurdest dou: guèrn/m**eu**ch☺test dou: èss'n*

que voudrais tu volontiers/aimerais tu manger

Qu'aimerais-tu manger ?

3 Ich möchte/hätte gern ein Bier.

*ich☺ m**eu**ch☺tœ/Hètœ guèrn aïn bi:r*

je aimerais/aurais volontiers une bière

J'aimerais (bien) une bière.

4 Was möchten/hätten Sie gern zum Frühstück?

*vass m**eu**ch☺t'n/Hèt'n zi: guèrn tssoum fr**u**:-chtuk*

que aimeraiez vous/auriez vous volontiers pour-le tôt-morceau

Qu'aimeriez-vous au petit-déjeuner ?

Notes de grammaire

Vous pouvez identifier plusieurs verbes au subjonctif II. Celui-ci correspond au conditionnel français et sert à exprimer un souhait. *J'aimerais* + infinitif se traduit par **ich möchte/ich würde gern** + infinitif en fin de phrase. *J'aimerais (bien) quelque chose* se traduit par **ich möchte...** ou bien **ich hätte gern...**

	ich	du	er/sie/es	wir	ihr	sie/Sie
mögen	möchte	möchtest	möchte	möchten	möchtet	möchten
werden	würde	würdest	würde	würden	würdet	würden
haben	hätte	hättest	hätte	hätten	hättet	hätten

Notez que le futur se construit avec l'auxiliaire **werden** + infinitif en fin de phrase et le passif avec l'auxiliaire **werden** + participe passé en fin de phrase. Vous verrez quelques exemples dans la partie "Conversation".

Entraînement – Traduisez les phrases suivantes

1. Où aimeriez-vous habiter ?
2. Nous aimerions aller à Berlin.
3. Er möchte/würde gern in Österreich studieren.
4. Er möchte/hätte gern seinen Koffer.

Solutions

1. Wo möchten Sie/würden Sie gern wohnen?
2. Wir würden gern/möchten nach Berlin fahren.
3. Il aimerait étudier en Autriche.
4. Il aimerait *(avoir)* sa valise.

Habe ich Post?
J'ai du courrier ?

1 Wem schickst du eine Mail?
vé:m chikst dou: aïnœ mail
À qui envoies-tu un e-mail ?

2 Ich schicke dir morgen den Brief.
ich☺ chikœ di:r mo:rg'n dé:n bri:f
je envoie à-toi demain la lettre
Je t'enverrai la lettre demain.

3 Kannst du bitte den Kindern eine Mail schreiben?
ka'nst dou: bitœ dé:n ki'ndᵃn aïnœ mail chraïb'n
peux tu s'il-te-plaît à-les enfants un e-mail écrire
Peux-tu s'il te plaît écrire un e-mail aux enfants ?

4 Kannst du mir bitte Briefmarken geben?
ka'nst dou: mi:r bitœ bri:f-ma:rk'n guéb'n
peux tu à moi s'il-te-plaît timbres donner
Peux-tu me donner des timbres s'il te plaît ?

Notes de grammaire

Le datif sert à marquer le complément d'objet indirect, par ex. **jemandem etwas schicken**, *envoyer quelque chose à quelqu'un*, et répond à la question **wem?**, *à qui ?* Comme pour l'accusatif, il y a des "faux amis", par ex. **jemandem helfen**, *aider qqn*, qui entraînent, à l'inverse du français, un datif : **Es hilft mir sehr**, *Ça m'aide beaucoup.*
Attention : au datif pluriel, les substantifs prennent systématiquement un **-n**, **die Kinder** (nom. pl.) = **den Kindern** (dat. pl.).

Articles définis et démonstratifs, pronoms personnels :

	Maculin	Féminin	Neutre	Pluriel
Datif	dem/diesem	der/dieser	dem/diesem	den/diesen

Nominatif	ich	du	er/sie/es	wir	ihr	sie/Sie
Datif	mir	dir	ihm/ihr/ihm	uns	euch	ihnen/Ihnen

L'ordre accusatif/datif dans la phrase varie selon les cas suivants :
- un pronom précède un groupe nominal (ph. 2)
- le groupe nominal datif précède le groupe nominal accusatif (ph. 3)
- le pronom accusatif précède le pronom datif (ph. 1 exercice)

Tout comme pour l'accusatif, les pronoms personnels réfléchis datifs sont les mêmes que les pronoms personnels sauf à la 3e personne du singulier et du pluriel (**sich** et **sich**, voir p. 30).

Entraînement – Traduisez les phrases suivantes

1. Peux-tu nous aider ?
2. Je t'envoie une lettre.
3. **Gib es mir!**
4. **Kannst du ihm schreiben?**

Solutions

1. **Kannst du uns helfen?**
2. **Ich schicke dir einen Brief.**
3. **Donne-le moi !**
4. **Peux-tu lui écrire ?**

Mir ist schlecht
Je me sens mal

1 **Mit wem möchten Sie einen Termin?**

*mit vé:m m**eu**ch☺t'n zi: **aï**ne'n t**è**rmi:n*

avec qui voudriez vous un rendez-vous

Avec qui souhaitez-vous prendre rendez-vous ?

2 **Ich muss zum Arzt.**

ich☺ mouss tssoum artsst

je dois chez-le médecin

Je dois aller chez le médecin.

3 **Wir müssen bei einer Apotheke anhalten.**

*vi:r m**u**ss'n baï **aï**nᵃ **a**poté:kœ **a**'n-Halt'n*

nous devons à une pharmacie arrêter

Nous devons nous arrêter à une pharmacie.

4 **Geht es deinem Mann besser?**

*gué:t èss d**aï**ne'm ma'n b**è**ssᵃ*

va ça à-ton mari mieux

Est-ce que ton mari va mieux ?

Notes de grammaire

Vous pouvez repérer dans les exemples l'article indéfini et l'adjectif possessif au datif ainsi que certaines prépositions introduisant un datif : **bei**, *à/chez* (locatif), **mit**, *avec*, **zu**, *à/chez* (destination), etc. Notez que l'article peut être contracté avec une préposition, par ex. **zu dem** devient **zum** (ph. 2).

Masculin sing.	Féminin sing.	Neutre sing.	Pluriel
einem/meinem	einer/meiner	einem/meinem	- /meinen

Souvenez-vous que l'article négatif **kein** se décline comme **ein** :
kein (nom. masc.) / **keinem** (dat. masc.), etc.

Entraînement – Traduisez les phrases suivantes

1. Nous sommes chez mon frère.
2. Comment vont tes parents ?
3. **Er möchte mit der Dame sprechen.**
4. **Ich möchte meiner Frau eine Mail schicken.**

Solutions

1. **Wir sind bei meinem Bruder.**
2. **Wie geht es deinen Eltern?**
3. Il voudrait parler avec la dame.
4. Je voudrais envoyer un e-mail à ma femme.

Was möchtest du machen?
Qu'aimerais-tu faire ?

1 **Möchtest du am Montag ins Kino gehen?**

*m**eu**ch☺test dou: am m**o**:nta:k i'nss ki:nô gu**é**:e'n*

aimerais tu à-le lundi dans-le cinéma aller

Voudrais-tu aller lundi au cinéma ?

2 **Möchtest du im Juni an die Nordsee fahren?**

*m**eu**ch☺te**ʒ**t dou: im y**ou**:ni a'n di n**o**rd-z**é**: fa:r'n*

voudrais tu dans-le juin à la nord-mer rouler

Voudrais-tu aller à la mer du Nord en juin ?

3 **Ich war gestern im Theater.**

*ich☺ va:r gu**è**stᵃn im t**é**a:tᵃ*

je étais hier dans-le théâtre

Hier, j'étais au théâtre.

4 **Im Herbst war ich im Gebirge.**

*im H**è**rbst va:r ich☺ im gu**è**birguœ*

dans-le automne étais je dans-la montagne

En automne, j'étais à la montagne.

Notes de grammaire

Abordons les prépositions mixtes : **an**, *à*, **auf**, *sur*, **in**, *dans*, **unter**, *sous*… Il s'agit de prépositions spatiales qui sont suivies de l'accusatif lorsqu'elles indiquent un directionnel (le lieu où l'on se rend) et du datif lorsqu'elles indiquent un localif (le lieu où l'on est). Là aussi, il existe plusieurs contractions : **an dem** devient **am**, **in das** devient **ins**, **in dem** devient **im**, etc.

Par ailleurs **an** et **in** peuvent aussi être employées comme prépositions temporelles et sont, dans ce cas, suivies du datif : **am** + jour de la semaine et **im** + mois/saison.

Entraînement – Traduisez les phrases suivantes
1. Hier, j'étais au cinéma.
2. C'est dans la voiture.
3. **Ich möchte ins Gebirge fahren.**
4. **Sie wohnen an der Nordsee.**

Solutions
1. **Gestern war ich im Kino.**
2. **Es ist im Auto.**
3. J'aimerais aller à la montagne.
4. Ils habitent à la mer du Nord.

Lass uns vergleichen!
Comparons !

1 **Ich bin so alt wie du.**

ich☺ bi'n zô alt vi: dou:

je suis aussi vieux que toi

J'ai le même âge que toi.

2 **Sabine ist kleiner als Paul, aber Peter ist am kleinsten.**

zabi:nœ ist klaïnᵃ alss paôl a:bᵃ pé:tᵃ ist am klaïnst'n

Sabine est plus-petite que Paul mais Peter est au plus-petit

Sabine est plus petite que Paul, mais Peter est le plus petit.

3 **Ich brauche eine kleinere Tasche.**

ich☺ braôrHœ aïnœ klaïnerœ tachœ

je nécessite un plus-petit sac

J'ai besoin d'un sac plus petit.

4 **Ich bin die älteste Schülerin der Klasse.**

ich☺ bi'n di èltestœ chu:leri'n dè:r klassœ

je suis la plus-âgée élève de-la classe

Je suis l'élève la plus âgée de la classe.

Notes de grammaire

Nous abordons ici les degrés de comparaison. Pour un adjectif attribut, le comparatif de supériorité se forme avec la terminaison **-er** et le superlatif avec **am** + terminaison **-sten**. Pour un adjectif épithète, le comparatif de supériorité se forme avec la terminaison **-er** et le superlatif avec la terminaison **st** + à chaque fois la marque de l'adjectif (voir tableau des déclinaisons dans les rabats). Notez que certains adjectifs prennent un tréma (ph. 4).

Attention aux irrégularités :

gut, *bien*, **besser**, *mieux*, **der (die, das) beste/am besten**, *le (la) mieux*, **viel**, *beaucoup*, **mehr**, *plus*, **die meisten/am meisten**, *la plupart/le plus*, **nah**, *proche*, **näher**, *plus proche*, **der (die, das) nächste/am nächsten**, *le (la) plus proche.*

Vous découvrez ici le génitif. Il sert à marquer la possession/ l'appartenence : **die älteste Schülerin der Klasse** (pour le génitif voir tableau des déclinaisons dans les rabats). Vous pouvez aussi exprimer la possession/l'appartenance avec la préposition **von**, *de*, suivi du datif : **... von der Klasse.**

Entraînement – Traduisez les phrases suivantes

1. C'est le mieux.
2. Mon sac est plus petit que ton sac.
3. Ich habe mehr Arbeit als gestern.
4. Wo ist die nächste Apotheke?

Solutions

1. Das ist am besten.
2. Meine Tasche ist kleiner als deine Tasche.
3. J'ai plus de travail qu'hier.
4. Où est la pharmacie la plus proche ?

Das ist besser!
C'est mieux !

1   **Ich habe Eis gern, aber ich habe Kuchen lieber (als Eis).**

ich☺ Ha:bœ aïss guèrn a:bᵃ ich☺ Ha:bœ kou:rH'n li:bᵃ (alss aïss)

je ai glace volontiers mais je ai gâteau préférence (que glace)

J'aime la glace, mais je préfère le gâteau (plutôt que la glace).

2   **Und am liebsten habe ich Schokolade.**

ount am li:bst'n Ha:bœ ich☺ chokola:dœ

et au plus-préférence ai je chocolat

Et ce que je préfère le plus, c'est le chocolat.

3   **Ich spiele gern Fussball, aber ich spiele lieber Tennis (als Fussball).**

ich☺ chpi:lœ guèrn fou:ss-bal a:bᵃ ich☺ chpi:lœ li:bᵃ tèniss (alss fou:ss-bal)

je joue volontiers football mais je joue préférence tennis (que football)

J'aime bien jouer au football mais je préfère jouer au tennis (qu'au football).

4   **Am liebsten spiele ich Golf.**

am li:bst'n chpi:lœ ich☺ golf

au plus-préférence joue je golf

Ce que j'aime le plus, c'est le golf.

Notes de grammaire

La préférence s'exprime à l'aide de **gern**, **lieber** ou **am liebsten**. **Etwas gern, lieber** ou **am liebsten** + **haben** signifie *bien aimer, préférer quelque chose* et **gern**, **lieber** ou **am liebsten** + verbe signifie *bien aimer, préférer <u>faire</u> quelque chose*.

Notez que **lieber** s'emploie pour exprimer une préférence entre 2 choses/personnes et **am liebsten** entre 3 choses/personnes ou plus. Il y a là une nuance difficilement traduisible en français.

Attention à la syntaxe : **gern** ou **lieber** sont précédés du verbe tandis que **am liebsten** est suivi du verbe et se place souvent en tête de phrase.

Entraînement – Traduisez les phrases suivantes

1. Préférez-vous (v.) venir demain ?
2. Il aime bien Munich.
3. **Sie gehen lieber ins Restaurant.**
4. **Am liebsten arbeitet sie an der Universität.**

Solutions

1. **Kommen Sie lieber morgen?**
2. **Er hat München gern.**
3. Ils préfèrent aller au restaurant.
4. Ce qu'elle aime le plus, c'est travailler à l'université.

Das ist der Tagesablauf
Voici le planning

1 **Wir fahren um acht Uhr los.**
vi:r fa:r'n oum arHt ou:r lo:ss
nous roulons à huit heures de
Nous partons à huit heures.

2 **Wir kommen um neun Uhr an.**
vi:r kome'n oum noïn ou:r a'n
nous venons à neuf heures à
Nous arrivons à neuf heures.

3 **Der Kurs beginnt um zehn.**
dè:r kourss bégui'nt oum tssé:n
le cours commence à dix
Le cours commence à dix heures.

4 **Wir hören um fünf auf.**
vi:r heu:r'n oum funf aôf
nous terminons à cinq
Nous terminons à cinq heures.

Notes de grammaire

Vous découvrez ici les verbes à particules séparables et inséparables. La particule séparable est toujours rejetée en fin de phrase et a une signification particulière, par ex. : **los** et **ab** marquent le départ, **an** l'arrivée, **auf** la fin et l'ouverture, **zu** la fermeture, etc. L'inséparable reste attachée au verbe (ex. 3) et a une signification plus complexe que nous n'aborderons pas. **Ver-**, **be-** et **ge-** sont les principales particules inséparables que vous identifierez aux cours des leçons.

Vous remarquerez dans les deux derniers exemples que vous pouvez aussi indiquer l'heure en donnant seulement le chiffre sans ajouter le mot **Uhr**, *heure*.

Entraînement – Traduisez les phrases suivantes
1. Pouvons-nous commencer ?

2. Nous arrivons à Vienne.

3. Es macht zu.

4. Der Zug fährt gleich ab.

Solutions
1. Können wir beginnen?

2. Wir kommen in Wien an.

3. Ça ferme.

4. Le train part tout de suite.

Mein Lebenslauf
Mon curriculum vitæ

1   Vor fünf Jahren habe ich das Abitur gemacht.

*fo:r fu'nf ja:r'n Ha:bœ ich☺ dass **a**bitou:r gu**é**marHt*

il-y-a cinq ans ai je le baccalauréat fait

J'ai passé le baccalauréat il y a cinq ans.

2   Dann war ich an der Universität in Wien.

*da'n va:r ich☺ a'n dè:r **ou**nivorzitò:t i'n vi:n*

puis étais je à la université dans Vienne

Puis je suis allée à l'université à Vienne.

3   Ich habe auch in Bonn gearbeitet.

*ich☺ Ha:bœ **a**ôrH i'n bo'n gu**é**arbaïte't*

je ai aussi dans Bonn travaillé

J'ai aussi travaillé à Bonn.

4   Ich hatte eine interessante Stelle.

*ich☺ Hatœ **a**ïnœ **i**'ntéréssa'ntœ chtèlœ*

je avais un intéressant poste

J'avais un poste intéressant.

Notes de grammaire

Voici le passé avec le parfait des verbes faibles (= verbes réguliers) et le prétérit de **sein**, *être*, et **haben**, *avoir*. Nous nous limitons au prétérit de ces deux verbes, dans la mesure où vous utiliserez essentiellement le parfait.

Le parfait équivaut au passé composé en français et se forme avec l'auxiliaire **sein** ou **haben** et le participe passé se construit avec le préfixe **ge-** + radical de l'infinitif + **-t** et est rejeté en fin de phrase : **ge-** + **mach** + **-t**, *fait*.

Notez que les verbes à particules inséparables ne prennent pas de **ge-** et pour les verbes à particules séparables, le **ge-** se place entre la particule et le radical, par ex. : **<u>be</u>stellt**, *commandé* et **<u>auf</u>gemacht**, *ouvert*.

Prétérit de **sein** et **haben** :

	ich	du	er/sie/es	wir	ihr	sie/Sie
sein	war	warst	war	waren	wart	waren
haben	hatte	hattest	hatte	hatten	hattet	hatten

Entraînement – Traduisez les phrases suivantes
1. J'ai travaillé à l'université.
2. Je n'avais pas de travail.
3. Wo waren Sie gestern?
4. Was hast du in Deutschland gemacht?

Solutions
1. Ich habe an der Universität gearbeitet.
2. Ich hatte keine Arbeit.
3. Où étiez-vous hier ?
4. Qu'as-tu fait en Allemagne ?

Wie war euer Wochenende?
Comment était votre week-end ?

1 Wir sind ins Kino gegangen.
vi:r zi'nt i'nss ki:no guégang'n
nous sommes dans-le cinéma allés
Nous sommes allés au cinéma.

2 Wir haben einen Film gesehen.
vi:r Ha:b'n aïne'n film guézé:e'n
nous avons un film vu
Nous avons vu un film.

3 Sie hat Freunde eingeladen.
zi: Hat froïndœ aïn-guéla:d'n
elle a amis invité
Elle a invité des amis.

4 Er ist aufs Land gefahren.
è:r ist aôfss la'nt guéfa:r'n
il est sur-la campagne roulé
Il est parti à la campagne.

Notes de grammaire

Abordons ici le parfait des verbes forts et l'emploi de **sein** ou **haben**. Les verbes forts sont irréguliers et forment leur participe passé sur **ge-** + radical + **-en**, sauf pour les verbes à particules (leçon 19).

Attention : tous les verbes forts changent de radical au prétérit, en revanche, au parfait, le radical du participe passé peut être le même qu'à l'infinitif, **fahren/gefahren**, *rouler/roulé*, ou bien différent, **schreiben/geschrieben**, *écrire/écrit*.

Vous pouvez identifier ici des exemples avec l'auxiliaire **haben** et l'auxiliaire **sein** :

- **haben** s'emploie avec les verbes transitifs, les verbes pronominaux et réfléchis et les verbes exprimant un état ou un processus qui dure. Ils représentent la majorité des verbes.

- **sein** s'emploie avec les verbes exprimant un mouvement, un changement de lieu ou d'état.

Entraînement – Traduisez les phrases suivantes

1. Il m'a invité.

2. Qu'as-tu fais ?

3. Ich habe deinen Vater gesehen.

4. Wir sind nach Wien gefahren.

Solutions

1. Er hat mich eingeladen.

2. Was hast du gemacht?

3. J'ai vu ton père.

4. Nous sommes allés à Vienne.

Haben Sie Fragen?
Avez-vous des questions ?

1 **Seit wann schläft er?**

zaït va'n chlè:ft è:r

depuis quand dort il

Depuis quand dort-il ?

2 **Bei wem ist er?**

baɪ vè:m ist è:r

chez qui est il

Chez qui est-il ?

3 **Wie viel kostet es?**

vi fi:l kostet èss

comment beaucoup coûte ça

Combien ça coûte ?

4 **Wie groß bist du?**

vi gro:ss bist dou:

comment grand es tu

Combien mesures-tu ?

Notes de grammaire

Comme en français, les pronoms interrogatifs peuvent être précédés d'une préposition.

N'oubliez pas que le pronom interrogatif **wer**, *qui*, se décline, d'où la forme "**wem**" dans la phrase 2, vu que **mit** implique le datif. Vous remarquerez que le pronom interrogatif **wie**, *comment*, se construit souvent avec un adjectif ou un adverbe. Dans ce cas, il exprime une question sur la mesure, la durée, la fréquence, la distance, la quantité et se traduit en français par *quel(les)/com-bien (de)* + verbe ou substantif.

Entraînement – *Traduisez les phrases suivantes*

1. Avec qui parles-tu ?
2. Pour qui est-ce ?
3. **Wie alt ist er?**
4. **Seit wann wohnt er in München?**

Solutions

1. **Mit wem sprichst du?**
2. **Für wen ist das?**
3. Quel âge a-t-il ?
4. Depuis quand habite-t-il à Munich ?

Conversation

↗ Premiers contacts

Généralement, on tend la main pour saluer. En famille ou entre amis on se donne l'accolade ou on se fait la bise, mais l'habitude de se faire la bise est moins courante que dans les pays latins.

Salutations

À bientôt !	**Bis bald!**	*biss balt*
À demain !	**Bis morgen!**	*biss mo:rg'n*
Au revoir !	**Auf Wiedersehen!**	***aô**f vi:dᵃ-zé:e'n*
À plus tard !	**Bis später!**	*biss chpè:tᵃ*
À tout de suite !	**Bis gleich!**	*biss glaïch☺*
Bienvenue (à ...) !	**Willkommen (in ...)!**	*vilkome'n (i'n...)*
Bonjour !	**Guten Morgen!**	*gou:t'n mo:rg'n*
Bonjour !	**Guten Tag!**	*gou:t'n ta:k*
Bonsoir !	**Guten Abend!**	*gou:t'n **a**:be'nt*
Bonne nuit !	**Gute Nacht!**	*gou:tœ narHt*
Salut ! (bonjour)	**Hallo!**	*Halô:*
Salut ! (au revoir)	**Tschüss!**	*tchuss*

Guten Morgen se dit le matin jusqu'à environ 11 heures, après on souhaite **Guten Tag**. Mise à part cette nuance pour *bonjour*, les autres expressions correspondent à l'usage français.

Madame	**Frau**	*fraô*
Mademoiselle	**Fräulein**	*froïlaïn*

Monsieur	Herr	Hèr
Mesdames et messieurs	**Meine Damen und Herren**	*maïne da:me'n ount Hèr'n*

Frau, **Fräulein** et **Herr** *[fraô, froïlaïn, Hèr]*, *Madame, Mademoiselle, Monsieur*, s'emploient toujours avec le nom de famille : **Guten Tag Frau Müller, Herr Bauer!** *[gou:t'n ta:k fraô mul[a] Hèr baô[a]]*, *Bonjour Madame Müller, Monsieur Bauer!* Contrairement au français, on ne dit jamais **Guten Tag Herr!**, *Bonjour Monsieur !*, ou **Herr!**, *Monsieur !*, tout court. Si vous ne connaissez pas la personne, dites simplement **Guten Tag**. Quant au terme **Fräulein** *[froïlaïn]*, *Mademoiselle*, il n'est pratiquement plus employé, ou seulement pour les très jeunes filles parce qu'il peut y avoir une connotation péjorative (vieille fille).

Souhaits

Bon séjour !
Angenehmen Aufenthalt!
a'nguéné:me'n aôfe'ntHalt
(agréable séjour)

Bonnes vacances !
Schöne Ferien!
cheu:nœ fé:rie'n
(belles vacances)

Bon voyage !
Gute Reise!
gou:tœ raïzœ

Bonne fin de semaine !
Schönes Wochenende!
cheu:ness vorH'n-èndœ
(belle semaine-fin)

À l'occasion des fêtes de fin d'année ou de Pâques, on se salue en souhaitant :

Joyeux Noël !
Frohe Weihnachten!
frô:œ vaï-narHt'n

Joyeuses Pâques !
Frohe Ostern!
frô:œ ô:st[a]n

Bonne année !

Frohes Neues Jahr! / Alles Gute zum Neuen Jahr!

frô:ess noïess ya:r / alèss gou:tœ tssoum noïe'n ya:r

(joyeux nouvel an / tout bon pour-le nouvel an)

Accord, désaccord

Oui !	Ja!	ya
Oui, bien sûr !	Ja, klar!	ya kla:r
Sûrement !	Sicher!/Bestimmt!	zich☺ᵃ/béchtimt
Peut-être !	Vielleicht!	filaïch☺t
Je ne sais pas.	Ich weiß es nicht.	Ich☺ vaïss èss nich☺t
Je (ne) suis (pas) d'accord.	Ich bin (nicht) einverstanden.	ich☺ bin (nich☺t) aïnfèrsta'nd'n
Non !	Nein!	naïn
Non, malheureusement pas !	Nein, leider nicht!	naïn laïdᵃ nich☺t

Questions, réponses

Voici quelques mots-clés pour poser des questions ou donner des réponses :

Combien ?	Wie viel?	vi fi.l
Comment ?	Wie?	vi:
Comment (pardon) ?	Wie bitte?	vi bitœ
Où ? (destination)	Wohin?	vô-Hi'n
D'où ?	Woher?	vô-Hèr
Où ? (locatif)	Wo?	vô.
Pourquoi ?	Warum?	varoum
Quand ?	Wann?	va'n
Que ?/Quoi ?	Was?	vass

Qui ? À qui ?	**Wer?** *(nom.)* **Wen?** *(acc.)* **Wem?** *(dat.)*	vè:r vé:n vé:m

Dommage !	**Schade!**	cha:dœ
Merci !	**Danke!**	d(ank)œ
Merci beaucoup !	**Vielen Dank!**	fi:l'n d(ank)
De rien !	**Bitte!**	bitœ
Très bien !	**Sehr gut!**	zè:r gou:t

Langues et compréhension

Parles-tu... ?	**Sprichst du...?**	chprich☺st dou:
Parlez-vous... ?	**Sprecht ihr...?** (t.pl.)	chprèch☺t i:r
Parlez-vous... ?	**Sprechen Sie...?** (v.)	chprèch☺'n zi:
allemand	**Deutsch**	doïtch
anglais	**Englisch**	(èng)lich
espagnol	**Spanisch**	chpa:nich
français	**Französisch**	fra'ntss**eu**:zich

Je ne comprends pas.
Ich verstehe nicht.

ich☺ fèrcht**é**:œ nich☺t

(je comprends pas)

Pouvez-vous parler plus lentement, s'il vous plaît ?
Können Sie bitte langsamer sprechen?

keune'n zi: bitœ l(ang)zam^a chprèch☺'n

(pouvez vous s'il-vous-plaît plus-lentement parler)

Je parle un peu allemand.
Ich spreche ein bisschen Deutsch.

ich☺ chprèch☺œ aïn bissch☺'n doïtch

Nous pouvons aussi parler anglais.
Wir können auch Englisch sprechen.

vi:r keune'n aôrH (èng)lich chprèch☺'n

(nous pouvons aussi anglais parler)

Pouvez-vous traduire s'il vous plaît ?
Können Sie (v.) bitte übersetzen?

keune'n zi: bitœ ubᵃ-zètss'n

(pouvez vous s'il-vous-plaît traduire)

↗ **Rencontre et présentation**

Se rencontrer

Siezen *[zi:tss'n], vouvoyer*, ou **duzen** *[dou:tss'n], tutoyer* ? Les règles d'usage correspondent globalement aux nôtres : on tutoie les enfants et les adolescents, on vouvoie les personnes que l'on ne connaît pas et plus âgés que soi. On se tutoie entre jeunes et également entre amis. Entre adultes, commencez par vouvoyer et en fonction de l'évolution de vos échanges, vous pouvez passer au "tu". Avec les amis de vos amis vous passerez généralemant assez vite au "tu".

Comment vas-tu ?	**Wie geht es dir?**	*vi: gué:t èss di:r*
Comment allez-vous ?	**Wie geht es euch?** (t. pl.) / **Wie geht es Ihnen?** (v.)	*vi: gué:t èss oïch☺* *vi: gué:t èss i:ne'n*
Comment ça va ?	**Wie geht's?**	*vi: gué:t'ss*
Bien merci !	**Danke, gut!**	*d(ank)œ gou:t*

(Beaucoup) Mieux !	(Viel) Besser!	(fi:l) bèss^a
Moyen !	Es geht so!	èss gué:t zô:
Pas bien !	Nicht gut!	nich☺t gou:t
Je me réjouis de te/vous revoir !	**Freut mich dich/euch (t. pl.)/Sie (v.) wieder zu sehen!**	*froït mich☺ dich☺/oïch☺/ zi: vi:d^a tssou zé:e'n*

Bonjour M. Schmitt, comment allez-vous ?
Guten Tag Herr Schmitt, wie geht es Ihnen?
*g**ou**:t'n ta:k Hèr chmit vi: gué:t èss i:ne'n*
(bonjour M. Schmitt comment va ça à-vous)

Bien merci, et vous ?
Gut danke, und Ihnen?
*gou:t d(**ank**)œ ount i:ne'n*
(bien merci et à-vous)

Salut, comment vas-tu ?–Bien, et toi ?
Hallo, wie geht's dir?–Gut, und dir?
*Ha**l**ô: vi: gué:t'ss di:r – gou:t ount di:r*
(salut comment va-ça à-toi bien et à-toi)

Je me réjouis de te revoir. – Moi aussi !
Freut mich dich wieder zu sehen.–Mich auch!
*fr**oï**t mich☺ dich☺ vi:d^a tssou zé:e'n – mich☺ a**ô**rH*
(réjouis me te encore de voir me aussi)

On peut se tutoyer.
Wir können uns duzen.
*vi:r k**eu**ne'n ounss d**ou**:tss'n*
(nous pouvons nous tutoyer)

Se présenter ou présenter quelqu'un

Qui est-ce ?	**Wer ist das?**	*vè:r ist dasss*
C'est...	**Das ist...**	*dass ist*
le nom	**der Name**	*dè:r na:mœ*
le nom de famille	**der Familienname**	*dè:r familie'n-na:mœ*
le prénom	**der Vorname**	*dè:r fô:r-na:mœ*
Comment t'appelles-tu ?	**Wie heißt du?**	*vi: Haïsst dou:*
Comment vous appelez-vous ?	**Wie heißt ihr?** (t. pl.)/ **Wie heißen Sie?** (v.)	*vi: Haïsst i:r* *vi: Haïss'n zi:*
Connais-tu... ?	**Kennst du...?**	*kèn'st dou:*
Connaissez-vous... ?	**Kennt ihr...?** (t. pl.)/ **Kennen Sie ...?** (v.)	*kèn't i:r* *kène'n zi:*

J'aimerais te/vous présenter...	**Ich möchte dir/ euch** (t. pl.)/ **Ihnen** (v.)... **vorstellen.**	*ich☺ meuch☺tœ di:r/ oïch☺/i:ne'n... fô:r-chtèl'n*
ma femme.	**meine Frau**	*maïnœ fraô*
mon mari.	**meinen Mann**	*maïne'n ma'n*
mon ami.	**meinen Freund**	*maïne'n froïnt*
mon amie.	**meine Freundin**	*maïnœ froïndi'n*

Enchanté(e) !	**Angenehm!**	*a'nguéné:m*
Enchanté(e) de faire ta/ votre connaissance.	**Freut mich dich/ euch** (t. pl.)/**Sie** (v.) **kennen zu lernen.**	*froït mich☺ dich☺/ oïch☺/zi: kène'n tssou lème'n*

Je m'appelle... / Mon nom est...
Ich heiße... / Mein Name ist...
ich☺ Haïssœ... / maïn na:mœ ist...

Pouvez-vous s'il vous plaît épeler votre nom ?
Könnten Sie (v.) **bitte Ihren Namen buchstabieren?**
keunte'n zi: bitœ i:r'n na:me'n bourHchtabi:r'n

(pourriez vous s'il-vous-plait votre nom épeler)

Qui est ce monsieur ?
Wer ist dieser Herr?
vè:r ist di:zª Hèr

C'est monsieur Maler.
Das ist Herr Maler.
dass ist Hèr ma:lª

Je ne le connais pas.
Ich kenne ihn nicht.
ich☺ kènœ i:n nich☺t
(je connais le pas)

Comment s'appelle ton amie ?
Wie heißt deine Freundin?
vi: Haïsst daïnœ froïndi'n

Dire d'où l'on vient

La première liste regroupe les pays francophones et germanophones ainsi que le nom de leurs habitants ; la deuxième liste
est une sélection d'autres pays.

le(s) pays(-)	das Land/die Länder	*dass la'nt/di lè'ndª*
la (les) ville(s)	die Stadt/die Städte	*di chtat/di chtète*

Pour former le féminin, on rajoute généralement le suffixe **-in** prononcé *[i'n]*.
Ex. : **Afrikaner/Afrikanerin** *[afrika:nª/afrika:neri'n]*, Africain/Africaine. En
cas d'irrégularité, le mot est indiqué en entier.

Afrique	**Afrika**	*afrika*
Africain	**Afrikaner**	*afrika:nª*
Allemagne	**Deutschland**	*doïtch-la'nt*
Allemand/-e	**Deutscher/Deutsche**	*doïtchª/doïtchœ*
Algérie	**Algerien**	*algué:rie'n*
Algérien	**Algerier**	*algué:riª*

Autriche	**Österreich**	*eu:st^a-raïch☺*
Autrichien	**Österreicher**	*eu:st^a-raïch☺^a*
Belgique	**Belgien**	*bèlguie'n*
Belge	**Belgier**	*bèlgui^a*
Canada	**Kanada**	*kanada*
Canadien	**Kanadier**	*kana:di^a*
France	**Frankreich**	*fr(ank)-raïch☺*
Français/-e	**Franzose/Französin**	*fra'ntssô:zœ/ fra'ntsseu:zi'n*
Luxembourg	**Luxemburg**	*louxèmbourk*
Luxembourgeois	**Luxemburger**	*louxembourg^a*
Maroc	**Marokko**	*maroko*
Marocain	**Marokkaner**	*maroka:n^a*
la Suisse (pays)	**die Schweiz**	*di chvaïtss*
Suisse (nationalité)	**Schweizer**	*chvaïtss^a*
Tunisie	**Tunesien**	*touné:zie'n*
Tunisien	**Tunesier**	*touné:zi^a*

Amérique du Sud	**Südamerika**	*zu:d-amérika*
Angleterre	**England**	*(èng)la'nt*
Asie	**Asien**	*a:zie'n*
Australie	**Australien**	*aôstra:lle'n*
Bulgarie	**Bulgarien**	*boulga:rie'n*
Chine	**China**	*ch☺i:na*
Danemark	**Dänemark**	*dè:nemark*
Espagne	**Spanien**	*chpa:nie'n*
États-Unis/USA	**die Vereinigten Staaten/die USA**	*di fòrainigt'n chta:t'n/di Ou-S-A*
Finlande	**Finnland**	*fi'n la'nt*
Grande-Bretagne	**Großbritannien**	*grô:ss-britanie'n*
Grèce	**Griechenland**	*gri:ch☺'n-la'nt*

Hongrie	**Ungarn**	*oungar'n*
Inde	**Indien**	*i'ndie'n*
Irlande	**Irland**	*ir-la'nt*
Israël	**Israel**	*issraé:l*
Italie	**Italien**	*ita:lie'n*
Japon	**Japan**	*ya:pa:n*
Norvège	**Norwegen**	*nôrvég'n*
Pays-Bas	**die Niederlande**	*di ni:dᵃ-la'ndœ*
République tchèque	**die Tschechische Republik**	*di tchèch☺ichœ répoublik*
Roumanie	**Rumänien**	*roumè:nie'n*
Russie	**Russland**	*rouss-la'nt*
Slovénie	**Slowenien**	*slové:nie'n*
la Turquie	**die Türkei**	*di turkaï*

D'où venez-vous ?
Woher kommen Sie (v.)?
vô-Hè:r kome'n zi:

Je suis française.
Ich bin Französin.
ich☺ bi'n fra'ntsseu:zi'n

Je viens de Belgique. Et vous ?
Ich komme aus Belgien. Und Sie (v.)?
ich☺ komœ aôss bèlguie'n ount zi:

Mon mari vient de Suisse.
Mein Mann kommt aus der Schweiz.
maïn ma'n komt aôss dè:r chvaïtss
(mon mari vient de la suisse)

Où habites-tu ?
Wo wohnst du?
vo: vo:nst dou:

Je suis né(e) à Paris.
Ich bin in Paris geboren.
ich☺ bi'n i'n pari:ss guébô:r'n
(je suis dans paris né)

Dire son âge

Quel âge as-tu ?
Wie alt bist du?
vi: alt bist dou:
(combien âgé es tu)

J'ai vingt ans.
Ich bin zwanzig Jahre alt.
ich☺ bi'n tssva'ntssich☺ ya:re alt
(je suis vingt ans âgé)

Nous avons le même âge.
Wir sind gleich alt.
vi:r zi'nt glaïch☺ alt
(nous sommes pareillement âgés)

Je vais avoir cinquante ans.
Ich werde fünfzig.
ich☺ vèrdœ fu'nftssich☺
(je deviens cinquante)

Suzanne est plus jeune que Peter.
Suzanne ist jünger als Peter.
zouza'nœ ist y(ung)ª alss pé:t ª

Joyeux anniversaire !
Alles Gute / Herzlichen Glückwunsch zum Geburtstag!
alèss gou:tœ / Hèrtsslich☺'n gluk-vounch tssoum guébourts-ta:k
(tout bien/chaleureux chance-souhait pour-le naissance-jour)

Famille

la famille	die Familie	di fami.llœ
mes parents	meine Eltern	maïnœ èltªn
mon père	mein Vater	maïn fa:tª
ma mère	meine Mutter	maïnœ moutª
mon (mes) enfant(s)	mein(e) Kind(er)	maïn(œ) ki'nt (ki'ndª)
mon (mes) fils(s)	mein(e) Sohn (Söhne)	maïn(œ) zô:n (zeu:nœ)
ma (mes) fille(s)	meine Tochter (Töchter)	maïnœ torHtª (teuch☺tª)
mon (mes) frère(s)	mein(e) Bruder (Brüder)	maïn(œ) brou:dª (bru:dª)

ma (mes) sœur(s)	meine Schwester(n)	maïnœ chvèstª(n)
mon mari	mein Mann	maïn ma'n
ma femme	meine Frau	maïnœ fraô

célibataire	ledig	lé:dich☺
divorcé(e)	geschieden	guéchi:d'n
marié(e)	verheiratet	fèrHaïrate't
veuf/-ve	verwitwet	fèrvitve't

Je suis marié(e) et j'ai deux enfants.

Ich bin verheiratet und habe zwei Kinder.

ich☺ bi'n fèrhaïrate't ount Ha:bœ tssvaï ki'nd ª

(je suis marié et ai deux enfants)

Voici mes enfants.

Das sind meine Kinder.

dass zi'nt maïnœ ki'nd ª

(ce sont mes enfants)

Ils vont se marier bientôt.

Sie werden bald heiraten.

zi: vèrd'n balt Haïrat'n

(ils deviennent bientôt marier)

le bébé	das Baby	dass bé:bi
la (les) fille(s)	das/die Mädchen(-)	dass/di mè:dch☺'n(-)
le(s) garçon(s)	der/die Junge(n)	dè:r/di y(oung)œ('n)
les jumeaux	die Zwillinge	di tssvil(ing)œ

beau	hübsch	Hubch
grand	groß	gro:ss
gros	dick	dik
mignon	süß	zu:ss
mince	dünn	du'n
petit	klein	klaïn

Maman et *papa* se dit de trois manières différentes : **Mama, Mami, Mutti** *[mama, mami, mouti]* et **Papa, Papi, Vati** *[papa papi fa:ti]*. Pour *mami* et *papi*, on dit **Oma** et **Opa** *[ô:ma]* et *[ô:pa]*.

J'ai un garçon et deux filles.
Ich habe einen Jungen und zwei Mädchen.
ich☺ Ha:bœ aïne'n y(oung)'n ount tssvaï mè:dch☺'n

Ma femme est enceinte.　　　　　*Il est mignon.*
Meine Frau ist schwanger.　　　**Er ist süß.**
maïnœ fraô ist chv(ang)ª　　　　*è:r ist zu:ss*

Voici d'autres termes relatifs à la famille :

les grands-parents	**die Großeltern**	*di grô:ss-èltªn*
le grand-père	**der Großvater**	*dè:r grô:ss-fa:tª*
la grand-mère	**die Großmutter**	*di grô:ss-moutª*
le(s) cousin(s)	**der/die Cousin(s)**	*dè:r/die cousin(s)*
la (les) cousine(s)	**die Cousine(n)**	*di couzi:nœ('n)*
le(s) neveu(x)	**der/die Neffe(n)**	*dè:r/di nèfœ('n)*
la (les) nièce(s)	**die Nichte(n)**	*di nich☺tœ('n)*
l' (les) oncle(s)	**der/die Onkel(s)**	*dè:r/di (onk)el(ss)*
la (les) tante(s)	**die Tante(n)**	*di ta'ntœ('n)*
les beaux-parents	**die Schwiegereltern**	*di chvi:guª-èltªn*
le beau-père	**der Schwiegervater**	*dè:r chvi:guª-fa:tª*
la belle-mère	**die Schwiegermutter**	*di chvi:guª-moutª*
le(s) gendre(s)	**der/die Schwiegersohn (-söhne)**	*dè:r/di chvi:guª-zo:n (-zeu:nœ)*
la (les) belle(s)-fille(s)	**die Schwiegertochter (töchter)**	*di chvi:guª-torHtª (-teuch☺tª)*
le(s) beau(x)-frère(s)	**der/die Schwager (Schwäger)**	*dè:r/di chva:guª (chvè:guª)*
la (les) belle(s)-sœur(s)	**die Schwägerin(nen)**	*di chvè:gueri'n(e'n)*

Emplois, activités, études

l'apprentissage	die Lehre	di l**é**:rœ
l'école	die Schule	di ch**ou**:lœ
l'étudiant(e)	der/die Student(in)	dè:r/di cht**ou**dènt(i'n)
la formation	die Ausbildung	di a**ô**ss-bild(oung)
le métier	der Beruf	dè:r b**é**rou:f
retraité(e)	pensionniert	pènzion**i**:rt
le travail	die Arbeit	di **a**rbaït
l'université	die Universität	di **ou**nivèrzitè:t

Je travaille pour une société allemande.
Ich arbeite für eine deutsche Firma.
*ich☺ a**r**baïtœ fu:r **a**ïnœ d**o**ïtchœ firma*
(je travaille pour une allemande société)

J'étudie à l'université à Paris.
Ich studiere an der Universität in Paris.
*ich☺ chtoudi:rœ a'n dè:r **ou**nivèrzitè:t i'n p**a**ri:ss*
(j'étudie à l'université dans Paris)

Il va encore à l'école.
Er geht noch zur Schule.
*è:r gé:t norH tssour ch**ou**:lœ*
(il va encore à l'école)

Je suis mère au foyer/à la retraite/au chômage.
Ich bin Hausfrau/pensionniert/arbeitslos.
*ich☺ bi'n H**a**ôss-fraô/pènzion**i**:rt/**a**rbaïts-lô:ss*
(je suis maison-femme/pensionné/chômeur)

Quel est ton/votre métier ?

Was bist du/sind Sie (v.) von Beruf?

*vass bist dou:/zi'nt zi: fo'n b**é**rou:f*

(que es tu/êtes vous de métier)

Les métiers

Pour former le féminin, on rajoute généralement le suffixe **-in** prononcé [i'n]. En cas d'irrégularité, le mot est indiqué en entier.

Je suis...	Ich bin...	*ich☺ bi'n*
acteur.	Schauspieler.	*chaô-chpl.l*[a]
architecte.	Architekt	*arch☺itèkt*
artisan.	Handwerker.	*Ha'nd-vèrk*[a]
assureur.	Versicherer.	*fèrzicher*[a]
avocat/e.	Rechtsanwalt/ Rechtsanwältin.	*rèch☺ts-a'nvalt/ rèch☺ts-a'nvèlti'n*
boulanger/pâtissier.	Bäcker/Konditor.	*bèk*[a] */ko'nditô:r*
chanteur.	Sänger.	*Z(èng)*[a]
chirurgien.	Chirurg.	*ch☺irourk*
coiffeur/-euse.	Friseur/Friseuse.	*frizeu:r /frizeu:zœ*
comptable.	Buchhalter.	*bou:rH-Halt*[a]
cuisinier/-ère.	Koch/Köchin.	*korH/keuch☺i'n*
danseur.	Tänzer.	*tèntss*[a]
dentiste.	Zahnarzt/ Zahnärztin.	*tssa:n-artsst/ tssa:n-èrtssti'n*
diplomate.	Diplomat.	*diplôma:t*
esthéticienne.	Kosmetikerin.	*kosmétikeri'n*
hôtesse de l'air/steward.	Stewardess/Steward.	*stewardess/steward*
infirmier/ère.	Krankenpfleger/ Krankenschwester.	*kr(ank)'n-pflé·gu*[a]*/ kr(ank)'n-chvèst*[a]
informaticien.	Informatiker.	*i'nforma:tik*[a]

ingénieur.	**Ingenieur.**	*i'ngénieu:r*
jardinier.	**Gärtner.**	*guèrtnᵃ*
journaliste.	**Journalist.**	*journalist*
juriste.	**Jurist.**	*yourist*
kinésithérapeute.	**Physiotherapeut.**	*fuziotérapoït*
libraire.	**Buchhändler.**	*bou:rH-Hèndlᵃ*
mécanicien.	**Mechaniker.**	*méch☺a:nikᵃ*
médecin.	**Arzt/Ärztin.**	*a:rtsst/èrtssti'n*
musicien.	**Musiker.**	*mou:zikᵃ*
notaire.	**Notar.**	*nota:r*
ouvrier.	**Fabrikarbeiter.**	*fabrik-arbaïtᵃ*
peintre.	**Maler.**	*ma:lᵃ*
peintre (artiste).	**Kunstmaler.**	*kounst-ma:lᵃ*
pharmacien.	**Apotheker.**	*apôté:kᵃ*
photographe.	**Fotograf.**	*fôtôgra:f*
pilote.	**Pilot.**	*pilô:t*
policier.	**Polizist.**	*politssist*
pompier.	**Feuerwehrmann.**	*foïᵃ-vé:r-ma'n*
professeur.	**Lehrer.**	*lé:rᵃ*
secrétaire.	**Sekretär.**	*zékrétè:r*
technicien.	**Techniker.**	*tèch☺nikᵃ*
traducteur/interprète.	**Übersetzer/Dolmetscher.**	*ubᵃzètsᵃ/dolmètchᵃ*
vendeur.	**Verkäufer.**	*fèrkoïfᵃ*
viticulteur.	**Winzer.**	*vi'ntssᵃ*

Vous voulez indiquer dans quel domaine vous travaillez :

Je travaille dans...	**Ich arbeite im...**	*ich☺ arbaïtœ im*
la culture.	**kulturellen Bereich.**	*koulturèl'n béraïch☺*
les finances.	**Finanzbereich.**	*fina'ntss-béraïch☺*

le marketing.	**Marketingbereich.**	*marketing-béraïch*☺
les médias.	**Medienbereich.**	*médie'n-béraïch*☺
le sport.	**Sportbereich.**	*chport-béraïch*☺

Religions, traditions

Aujourd'hui, le nord et l'est de l'Allemagne appartiennent majoritairement à l'Église protestante. Des majorités catholiques se trouvent avant tout en *Rhénanie*, **Rheinland** *[raïn-la'nt]*, au sud du *Bade-Wurtemberg*, **Baden Würtemberg** *[ba:d'n vurte'mbèrg]* et en *Bavière*, **Bayern** *[baiªn]* et 34 % de la population est sans confession, surtout dans l'ex RDA. L'Autriche est un pays à grande majorité catholique même si cela a tendance à baisser. Elle compte aujourd'hui environ 70 % de catholiques, à peine 5 % de protestants luthériens, 12 % sans religion et le reste autres ou non spécifié.

Je suis…	**Ich bin…**	*ich*☺ *bi'n*
bouddhiste.	**Buddhist.**	*boudist*
catholique.	**katholisch.**	*katô:lich*
hindou.	**Hindu.**	*Hi'ndou*
juif/juive.	**Jude/Jüdin.**	*you:dœ/yu:di'n*
musulman(e).	**Muslim(-a).**	*mousslim/-a*
protestant.	**evangelisch.**	*éf(ang)é:lich*
sans confession.	**ohne Konfession.**	*ô:nœ ko'nfèssiô:n*

La messe est à onze heures.
Der Gottesdienst ist um elf Uhr.
dè:r gote's-di:nst ist oum èlf ou:r
(le Dieu-service est à 11 heures)

Crois-tu en Dieu ?
Glaubst Du an Gott?
glaôbst dou: a'n got
(crois tu à Dieu)

J'aimerais aller à l'église.
Ich möchte in die Kirche gehen.

*ich☺ m**eu**ch☺tœ i'n di kirch☺œ gu**é**:e'n*

(j'aimerais dans l'église aller)

Demain, c'est le premier dimanche de l'avent.
Morgen ist der erste Advent.

*m**o**:rg'n ist dè:r **è**rstœ **a**dvènt*

(demain est le premier avent)

Le temps qu'il fait

la chaleur	**die Hitze**	*di Hitssœ*
le froid	**die Kälte**	*di kèltœ*
la neige	**der Schnee**	*dè:r chné:*
la pluie	**der Regen**	*dè:r r**é**:g'n*
le temps	**das Wetter**	*dass vèt^ə*
le soleil	**die Sonne**	*di z**o**nœ*
le vent	**der Wind**	*dè:r vi'nt*
le verglas	**das Glatteis**	*dass glat-aïss*

Il fait beau.	**Es ist schön.**	*èss ist cheu:n*
Il fait chaud.	**Es ist warm.**	*èss ist va:rm*
Il fait très chaud.	**Es ist heiß.**	*èss ist Haïss*
Il fait froid.	**Es ist kalt.**	*èss ist kalt*
Il neige.	**Es schneit.**	*èss chnaït*
Il pleut.	**Es regnet.**	*èss r**é**:gne't*

Quel temps fait-il ?
Wie ist das Wetter?

vi: ist dass vèt^ə

(comment est le temps)

Il fait vingt degrés.
Es sind zwanzig Grad.

èss zi'nt tssva'ntssich☺ gra:t

(ce sont vingt degrés)

Il fait froid mais le soleil brille.

Es ist kalt aber die Sonne scheint.

*èss ist kalt **a**:bª di **zo**nœ chaïnt*

(il est froid mais le soleil brille)

Il y a du verglas sur les routes.

Es gibt Glatteis auf den Straßen.

*èss guibt gl**at**-aïss **aô**f dé:n str**a**:ss'n*

(il donne glissant-glace sur les routes)

Sentiments et opinions

Je suis …	Ich bin …	*ich☺ hi'n*
content.	**zufrieden.**	*tssoufri:d'n*
déçu.	**enttäuscht.**	*ènto**ï**cht*
heureux.	**glücklich.**	*gl**u**klich☺*
joyeux.	**fröhlich.**	*fr**eu**:lich☺*
malheureux.	**unglücklich.**	***u**'n-gluklich☺*
mécontent.	**unzufrieden.**	***u**'n-tssoufri:d'n*
triste.	**traurig.**	*tra**ô**rik*

C'est…	**Das ist…**	*dass ist*
beau.	**schön.**	*cheu:n*
bien.	**gut.**	*gou:t*
difficile.	**schwer.**	*chvé:r*
drôle.	**lustig.**	*l**ou**stich☺*
facile.	**einfach.**	*a**ï**nfarH*
laid.	**hässlich.**	*Hèsslich☺*
mal.	**schlecht.**	*chlèch☺t*

Invitation, visite

Pour lancer une invitation et y répondre :

J'aimerais t'/vous inviter...	**Ich möchte dich/ euch** (t. pl.)/**Sie** (v.) ... **einladen.**	*ich☺ **meuch**tœ dich☺/ oïch☺/zi:... **aïn**-la:d'n*
à déjeuner.	**zum Mittagessen**	*tssoum mitak-**èss**'n*
à dîner.	**zum Abendessen**	*tssoum **a:**be'nt-èss'n*
à ma fête.	**auf meine Fete**	*a**ô**f maïnœ f**é**:tœ*

Voulez-vous venir ce soir chez nous ?
Möchtet ihr (t. pl.) heute Abend zu uns kommen?
*m**eu**ch☺te't i:r H**oï**tœ abe'nt tssou ouns k**o**me'n*

(aimeriez vous aujourd'hui soir chez nous venir)

Aujourd'hui, ce n'est malheureusement pas possible.
Heute ist es leider nicht möglich.
*H**oï**tœ ist èss laïd[a] nich☺t m**eu**:glich☺*

(aujourd'hui est il malheureusement pas possible)

À quelle heure souhaitez-vous que l'on vienne ?
Um wie viel Uhr sollen wir kommen?
*oum vi fi:l ou:r z**o**l'n vi:r k**o**me'n*

(à comment beaucoup heure devons nous venir)

Merci pour l'invitation. C'était très agréable.
Danke für die Einladung. Es war sehr nett.
*d(**ank**)œ fu:r di **aï**n-la:d(oung). èss va:r zè:r nèt*

Un rendez-vous ?

Comment engager une conversation et prendre rendez-vous :

As-tu du feu s'il te plaît ?
Hast du bitte Feuer?
Hast dou: bitœ foi[a]
(as tu s'il-te-plaît feu)

Puis-je t'offrir quelque chose à boire ?
Kann ich dich auf ein Gläschen einladen?
ka'n ich☺ dich☺ aôf aïn glèsch☺'n aïn-la:d'n
(peux je te sur un petit-verre inviter)

C'est la première fois que tu viens ?
Ist es das erste Mal, dass du kommst?
ist èss dass èrsstœ ma:l dass dou: komst
(est ce la première fois que tu viens)

Tu attends quelqu'un ?
Wartest du auf jemanden?
vartest dou: aôf yéma'nd'n
(attends tu sur quelqu'un)

Je te reverrai demain ?
Sehe ich dich morgen wieder?
zé:œ ich☺ dich☺ mo:rg'n vi:d[a]
(vois je te demain encore)

Voici mon numéro de portable.
Das ist meine Handynummer.
dass isst maïnœ Hèndi-noum[a]
(voici mon portable-numéro)

Appelle-moi !
Ruf mich an!
rou:f mich☺ a'n

L'amour

l'amour	die Liebe	di li:bœ
amoureux	verliebt	fèrli:bt
la pilule	die Pille	di pilœ
le(s) préservatif(s)	das/die Kondom(e)	dass/di ko'ndô:m(œ)

Je t'aime. – Moi aussi !
Ich liebe Dich. – Ich dich auch!
ich☺ li:bœ dich☺ – ich☺ dich☺ aôrH
(je aime toi je toi aussi)

Il est amoureux d'elle.
Er ist in sie verliebt.
èr ist i'n zi: fèrli:bt
(il est dans elle amoureux)

Prends-tu la pilule ?
Nimmst du die Pille?
nimst dou: di pilœ

↗ Temps, dates, fêtes

Dire l'heure

Il est sept heures.	Es ist sieben Uhr.	èss ist zi:b'n ou:r
Il est sept heures cinq.	Es ist fünf nach sieben (il est cinq après sept)	èss ist fu'nf na:rH zi:b'n
Il est sept heures et quart.	Es ist Viertel nach sieben. (il est quart après sept)	èss ist firtel na:rH zi:b'n

Il est sept heures vingt-cinq.	**Es ist fünfundzwanzig nach sieben.** (il est cinq-et-vingt après sept)	*èss ist fu'nf-ount-tssva'ntssich☺ na:rH zi:b'n*
Il est sept heures et demie.	**Es ist halb acht.** (il est moitié huit)	*èss ist Halb arHt*
Il est huit heures moins vingt.	**Es ist zwanzig vor acht.**	*èss ist tssva'ntssich☺ fô:r arHt*
Il est huit heures moins le quart.	**Es ist Viertel vor acht.**	*èss ist firtel fô:r arHt*
Il est midi/ minuit.	**Es ist Mittag/ Mitternacht.**	*èss ist mita:k/ mitᵃ-narHt*
Il est quatorze heures dix.	**Es ist vierzehn Uhr zehn.**	*èss ist firtssé:n ou:r tssé:n*

En allemand parlé, on ne compte généralement les heures que jusqu'à **zwölf** [tssveu:lf], *douze*, après quoi on recommence à **eins** [aïnss], *une*. Attention quand vous voulez exprimer la demie : l'allemand donne l'heure qui suit et non l'heure en cours. Par contre, pour indiquer des horaires plus précis (avion, réunion…) et éviter des malentendus, on compte jusqu'à **vierundzwanzig** [fi:r-ount-tssva'ntssich☺], *vingt-quatre*, ou **null** [noul], *zéro*, et la règle est la même qu'en français.

la montre	**die Uhr**	*di ou:r*
le réveil	**der Wecker**	*dè:r vèkᵃ*
le temps	**die Zeit**	*di tssaït*

l'(les) heure(s) (60 min.)	**die Stunde(n)**	*di chtoundœ('n)*
la demi-heure	**die halbe Stunde**	*di Halbœ chtoundœ*
le quart d'heure	**die Viertelstunde**	*di firtel-chtoundœ*

| la (les) minute(s) | **die Minute(n)** | di min**ou**:tœ('n) |
| la (les) seconde(s) | **die Sekunde(n)** | di z**é**koundœ('n) |

le matin (durant le…)	**am Morgen**	am mo:rg'n
la matinée	**am Vormittag**	am f**ô**:r-mita:k
le midi	**am Mittag**	am mita:k
l'après-midi	**am Nachmittag**	am narH-mita:k
le soir	**am Abend**	am **a**:be'nt
la nuit	**in der Nacht**	i'n dè:r narHt

Quelle heure est-il ?
Wie spät ist es? / Wie viel Uhr ist es?
vi: spè:t ist èss / vi fi:l ou:r ist èss
(comment tard est il / comment beaucoup heure est il)

À quelle heure viens-tu ?
Um wie viel Uhr kommst du?
oum vi fi:l ou:r komst dou:
(à comment beaucoup heure viens tu)

Combien de temps ça dure ?
Wie lange dauert es?
*vi l(**ang**)œ da**ô**ᵃt èss*
(comment longtemps dure ça)

Jusqu'à/À partir de 9 heures.
Bis/Ab neun Uhr.
biss/ap noïn ou:r

Ça commence tôt/tard.
Es beginnt früh/spät.
èss bégui'nt fru:/chpè:t

Je viens de 8 à 9 heures.
Ich komme von acht bis neun Uhr.
ich☺ komœ fo'n arHt biss noïn ou:r

Je suis en retard.
Ich habe Verspätung.
ich☺ Ha:bœ fèrchpè:t(oung)
(j'ai retard)

Viens à l'heure s'il te plaît.
Komm bitte pünktlich.
kom bitœ p(unk)tlich☺
(viens s'il-te-plaît ponctuel)

Dire une date

l'agenda	**die Agenda**	*di aguènda*
le calendrier	**der Kalender**	*dè:r kalènd^a*

lundi	**Montag**	*mô:nta:k*
mardi	**Dienstag**	*di:nsta:k*
mercredi	**Mittwoch**	*mitvorH*
jeudi	**Donnerstag**	*do'n^a sta:k*
vendredi	**Freitag**	*fraïta:k*
samedi	**Samstag**	*zamsta:k*
dimanche	**Sonntag**	*zo'nta:k*

janvier	**Januar**	*yanoua:r*
février	**Februar**	*fé:broua:r*
mars	**März**	*mèrtss*
avril	**April**	*april*
mai	**Mai**	*maï*
juin	**Juni**	*you:ni*
juillet	**Juli**	*you:li*
août	**August**	*aôgoust*
septembre	**September**	*zèptèmb^a*

octobre	**Oktober**	*oktô:bª*
novembre	**November**	*novèmbª*
décembre	**Dezember**	*détssèmbª*

Notez qu'il faut employer les nombres ordinaux.

Quel jour sommes-nous ?
Was für ein Tag ist heute?
vass fu:r aïn ta:k ist Hoïtœ
(que pour un jour est aujourd'hui)

Quelle est la date d'aujourd'hui ?
Was für ein Datum ist heute?
vass fu:r aïn da:toum ist Hoïtœ
(que pour une date est aujourd'hui)

(Aujourd'hui, nous sommes) lundi quatre avril.
(Heute ist) Montag, der vierte April.
(Hoïtœ ist) mô:nta:k dè:r firtœ april
((aujourd'hui est) lundi le quatre avril)

Vocabulaire du temps, des jours et des saisons

l' (les) année(s)	**das/die Jahr(e)**	*dass/di ya:r(œ)*
la fin de semaine	**das Wochenende**	*dass vorH'n-èndœ*
le(s) jour(s)	**der/die Tag(e)**	*dè:r/di ta:k (ta:guœ)*
le(s) mois	**der/die Monat(e)**	*dè:r/di mô:nat(œ)*
la (les) saison(s)	**die Jahreszeit(en)**	*di ya:res-tssaït('n)*
la (les) semaine(s)	**die Woche(n)**	*di vorHœ('n)*

| avant-hier | **vorgestern** | *fô:r-guèstªn* |
| hier | **gestern** | *guèstªn* |

aujourd'hui	heute	*Hoïtœ*
demain	morgen	*mô:rg'n*
après-demain	übermorgen	*u:bª-mô:rg'n*

printemps	**Frühling**	*fru:l(ing)*
été	**Sommer**	*zomª*
automne	**Herbst**	*Hèrbst*
hiver	**Winter**	*vi'ntª*

après	danach	*da-na:rh*
avant	davor	*da-fô.ı*
de temps en temps	ab und zu	*ap ount tssou*
jamais	niemals	*ni:malss*
maintenant	jetzt	*yètsst*
souvent	oft	*oft*
tout de suite	sofort	*zôfort*

C'était l'an dernier.
Es war letztes Jahr.
èss va:r lètsstess ya:r
(c'était dernière année)

Je viendrai en été.
Ich komme im Sommer.
ich☺ komœ im zomª
(je viens dans été)

Je viens ce mois-ci ou le mois prochain.
Ich komme diesen oder nächsten Monat.
ich☺ komœ di:z'n ô:dª nèkst'n mô:nat
(je viens ce ou prochain mois)

Je le rencontre tous les jours.
Ich treffe Ihn jeden Tag.
ich☺ tré:fœ i:n yéd'n ta:k
(je rencontre le chaque jour)

Jours fériés

La liste suivante regroupe les principaux jours fériés célébrés en Allemagne et en Autriche :
- 1er janvier : *Nouvel An,* **Neujahr** *[noï-ya:r]*
- février/mars : *carnaval,* **Karneval** *[karneval],* appelé aussi **Fasching** *[fach(ing)]* ou **Fastnacht** *[fass-narHt]* selon les régions. Il se célèbre dans de nombreuses parties de l'Allemagne et de l'Autriche.
- *Vendredi saint,* **Karfreitag** *[kar-fraïta:k]* et *Lundi de Pâques,* **Ostermontag** *[ô:st ᵃ-mô:nta:k]*
- 1er mai : *fête du travail,* **Tag der Arbeit** *[ta:k dè:r arbaït]*
- *Ascension,* **Christi Himmelfahrt** *[cristi Him'l-fa:rt]*
- *Lundi de Pentecôte,* **Pfingstmontag** *[pf(ing)st-mô:nta:k]*
- 3 octobre : *réunification de l'Allemagne,* **Tag der Deutschen Einheit** *[ta:k dé:r doïtch'n aïnHaït]*
- 26 octobre : *fête nationale autrichienne,* **Nationalfeiertag** *[natsiona:l-faï ᵃ-ta:k]*
- 8 décembre : *Immaculée conception,* **Maria Empfängnis** *[maria èmpf(èng)niss]* (en Autriche)
- 25 décembre : *Noël,* **Weihnachten** *[vaï-narHt'n]*
- 26 décembre : *lendemain de Noël,* **zweiter Weihnachtsfeiertag** *[tssvaïᵃ vaï-narHts-faïᵃ-ta:k]* appelé aussi *Saint-Étienne,* **Stefanitag** *chtèfani-ta:k* en Autriche.

Noël reste la plus célèbre des fêtes. Dès la mi-novembre, les marchés de Noël fleurissent un peu partout et pendant la *période de l'avent,* **Adventszeit** *[advènts-tssaït],* les quatre dimanches avant Noël, règne déjà une atmosphère festive durant laquelle vous pouvez déguster le traditionnel *vin chaud aromatisé aux épices,* **Glühwein** *[glu:-vaïn],* et de nombreuses pâtisseries.

↗ Appel à l'aide

Urgences

Voici quelques numéros de téléphone et expressions qui vous aideront en cas d'urgence :

Police, **Polizei** *[politssaï]* : 110 (Allemagne), 133 (Autriche)

Pompiers, **Feuerwehr** *[foïᵉ-vé:r]* : 110 ou 113 (Allemagne), 122 (Autriche)

Urgences, **Rettung** *[rèt(oung)]* : 112 (Allemagne), 144 (Autriche)

Attention !	**Achtung!**	*arHt(oung)*
Au feu !	**Feuer!**	*foïᵉ*
Au secours !	**Hilfe!**	*Hilfœ*
Danger !	**Gefahr!**	*guéfa:r*
Vite !	**Schnell!**	*chnèl*

Vite appelez…	**Schnell rufen Sie…**	*chnèl rou:f'n zi:*
la police.	**die Polizei.**	*di politssaï*
un médecin.	**einen Arzt.**	*aïne'n artsst*
une ambulance.	**einen Krankenwagen.**	*aïne'n kr(ank)'n-va:g'n*
les pompiers.	**die Feuerwehr.**	*di foïᵉ-vé:r*

Appelez de l'aide !
Rufen Sie (v.) bitte um Hilfe!
rou:f'n zi: bitœ oum Hilfœ
(appelez vous s'il-vous-plaît à aide)

Je me sens mal.
Mir ist schlecht.
mi:r ist chlèch☺t
(à-moi est mal)

Il est malade/blessé.
Er ist krank/verletzt.
è:r ist kr(ank)/fèrlètsst

Ne touchez pas !
Nicht anfassen!
nich☺t a'n-fass'n
(pas toucher)

Sur la route

Il y a eu un accident !
Es gab einen Unfall!
*èss ga:b **aï**ne'n **ou**'nfal*
(il donnait un accident)

Vite, c'est grave !
Schnell, es ist schlimm!
chnèl èss ist chlim

Ne bougez pas !
Bewegen Sie sich nicht!
bévé:g'n zi: zich☺ nich☺t
(bougez vous vous pas)

Les secours arrivent tout de suite.
Der Rettungswagen kommt gleich.
dè:r rèt(oung)s-va:g'n komt glaïch☺
(la secours-voiture arrive tout-de-suite)

↗ Écriteaux, panneaux, sigles

Écriteaux

Dames	**Damen**	*da:m'n*
Messieurs	**Herren**	*Hère'n*
Entrée	**Eingang**	*aïn-g(ang)*
Interdiction d'entrer !	**Eintritt verboten!**	*aïn-trit fèrbô:t'n*
Sortie	**Ausgang**	*aôss-g(ang)*
Sortie de secours	**Notausgang**	*nô:t-aôss-g(ang)*
Fermé	**Geschlossen**	*guéchloss'n*
Ouvert	**Geöffnet**	*guéeufne't*
Poussez	**Drücken**	*druk'n*
Tirez	**Ziehen**	*tssi:e'n*
Libre	**Frei**	*fraï*

Occupé	Besetzt	*bézètsst*
Réservé	Reserviert	*rézèrvi:rt*
À louer	Zu vermieten	*tssou fèr-mi:t'n*
À vendre	Zu verkaufen	*tssou fèr-kaôf'n*
Caisse	Kasse	*kassœ*
Handicapés	Behinderte	*béhi'ndªtœ*
Privé	Privat	*priva:t*
Danger d'incendie	Feuergefahr	*foïª-guéfa:r*
École	Schule	*chou:lœ*

Abréviations courantes

- **Abf. = Abfahrt/Ank. = Ankunft** *[ap-fa:rt/a'nkou'nft]*, *départ/arrivée*
- **Hbf = Hauptbahnhof** *[Haôpt-ba:n-Hô:f]*, *gare centrale*
- **DB = Deutsche Bundesbahn** *[doïtchœ boundes-ba:n]*, *chemins de fer nationaux allemands*
- **ÖB = Österreichische Bundesbahn** *[eu:steraïch☺ichœ boundes-ba:n]*, *chemins de fer nationaux autrichiens*
- **Regio-DB = Regionalbahn** *[réguiôna:l-ba:n]*. L'équivalent de nos trains régionaux.
- **IC = InterCity** *[i'ntèrcity]* et **EC = EuroCity** *[oïrôCity]* équivalant à nos trains inter-régionaux
- **ICE = InterCityExpress** *[i'nterCityExpress]*, *train à grande vitesse*
- **U-Bahn = Untergrundbahn** *[ountª ground ba:n]*, *métro*
- **S-Bahn = Schnellbahn** *[chnèl-ba:n]*. Il s'agit grosso modo du réseau ferroviaire d'Île-de-France.

↗ Voyager

Cette section est consacrée au vocabulaire utile pour vos divers déplacements dans le pays : comme piéton, en train, en avion ou avec votre propre voiture.

Contrôle des passeports et douane

Si vous résidez dans un pays européen, vous n'aurez pas, en principe, à montrer votre passeport. Dans le cas contraire :

le contrôle des passeports	**die Passkontrolle**	*di p**a**ss-ko'ntrolœ*
la douane	**der Zoll**	*dè:r tssol*
les marchandises	**die Waren**	*di v**a**:r'n*
le passeport	**der Ausweis**	*dè:r a**ô**ssvaïss*

Je suis venu(e) pour...	**Ich bin für... gekommen.**	*ich☺ bi'n fu:r... gu**é**kome'n*
mes études.	**... mein Studium...**	*maïn cht**ou**dioum*
les vacances.	**... die Ferien...**	*di f**é**:rie'n*
mon travail.	**... meine Arbeit...**	*maïnœ arb**aï**t*

Votre passeport s'il vous plaît !
Ihren (v.) Ausweis bitte!
*i:r'n a**ô**ssvaïss bitœ*

Je n'ai rien à déclarer.
Ich habe nichts zu verzollen.
*ich☺ H**a**:bœ nich☺tss tssou fèrtss**o**l'n*
(j'ai rien à déclarer)

Change

Vous trouverez des bureaux de change dans les aéroports et certaines banques. En ville, il y a de nombreux distributeurs automatiques de billets acceptant les principales cartes de crédit.

Puis-je changer des... ?	Könnte ich bitte... wechseln?	keuntœ ich☺ bitœ... vèksseln
chèques de voyage	Reiseschecks	raïzœ-chèkss
dollars canadiens	Kanadische Dollars	kanadichœ dolarss
francs suisses	Schweizer Franken	chvaïtss^a fr(ank)'n

En avion

l'avion	der Flieger/ das Flugzeug	dè:r fli:g^a/ dass flou:k-tssoïg
l'atterrissage	die Landung	di la'nd(oung)
les bagages	das Gepäck	dass guépèk
le billet d'avion	das Flugticket	dass flou.k- likèl
le billet électronique	das E-Ticket	dass i-tikèt
la business class	die Business class	di business class
la (les) compagnie(s) aérienne(s)	die Fluggesellschaft(en)	di flou:k-guézèlchaft('n)
côté couloir	am Gang	am g(ang)
côté hublot	am Fenster	am fènsst^a
le décollage	der Abflug	dè:r ap-flou:k
l'hôtesse de l'air / le steward	die Stewardess/ der Steward	di stewardess/ dè:r steward
le pilote	der Pilot	dè:r pilô:t
la rangée	die Reihe	di raïœ
le vol aller-retour	der Hin- und Rückflug	dè:r Hi'n- ount ruk-flou:k

À quelle heure est le prochain vol pour... ?

Um wie viel Uhr ist der nächste Flug nach...?

oum vi fi:l ou:r ist dè:r nèkstœ flou:k na:rH...

(à comment beaucoup heure est le prochain vol vers...)

Je préfèrerais un vol plus tard/tôt.

Ich hätte lieber einen späteren/früheren Flug.

ich☺ Hètœ li:bᵃ aïne'n chpè:tere'n/fru:ere'n flou:k

(j'aurais préférence un plus-tard/plus-tôt vol)

Combien coûte le billet ?

Wie viel kostet das Ticket?

vi fi:l koste't dass tikèt

(comment beaucoup coûte le ticket)

Vous êtes assis dans la rangée quatre.

Sie (v.) sitzen in der Reihe vier.

zi: zitss'n i'n dè:r raïœ fi:r

(vous êtes-assis dans la rangée quatre)

Vous pouvez enregistrer les bagages maintenant.

Sie (v.) können jetzt das Gepäck einchecken.

zi: keune'n yètsst dass guépèk aïn-chèck'n

(vous pouvez maintenant les bagages enregistrer)

En train

Aussi bien en Allemagne qu'en Autriche, le train est un moyen de transport très confortable qui vous permet de voir du pays. Si vous souhaitez aller de Munich à Innsbruck ou même jusqu'à Vérone n'hésitez pas à prendre le **EuroCity** grâce auquel vous traverserez les Alpes et profiterez d'un paysage à vous couper le souffle.

le contrôleur	**der Schaffner**	*dè:r chafnᵃ*
la gare (centrale)	**der Bahnhof (Haupt-)**	*dè:r Ba:n-Hô:f (Haôpt-)*
le guichet	**der Schalter**	*dè:r chaltᵃ*
les horaires	**der Fahrplan**	*dè:r fa:r-pla:n*

le train	der Zug	dè:r tssou:k
le trajet	die Fahrt	di fa:rt
le quai	das Gleis	dass glaïss
la voie	der Bahnsteig	dè:r ba:n-chtaïk

J'aimerais un billet...	Ich möchte eine Fahrkarte...	ich☺ meuchtœ aïnœ fa:r-kartœ
aller simple/ aller-retour pour...	einfach/ hin und zurück nach...	aïnfarH/ Hi'n ount tssouruk na:rH
1ʳᵉ/2ᵉ classe.	erste/zweite Klasse.	èrsstœ/tssvaïtœ klassœ

la réduction	die Ermaßigung	di èrmè:ssig(oung)
le supplément	der Zuschlag	dè:r tssouchla:k

À quelle heure part le dernier train pour... ?
Um wie viel Uhr fährt der letzte Zug nach...?
oum vi fi:l ou:r fè:rt dè:r lètsstœ tssou:k na:rH...
(à comment beaucoup heure roule le dernier train vers...)

Combien coûte le billet pour... ?
Wie viel kostet die Fahrkarte nach...?
vi fi:l koste't di fa:r-kartœ na:rH...
(comment beaucoup coûte le trajet-carte vers...)

C'est un train direct ?
Ist es ein durchgehender Zug?
ist èss aïn dourch☺-gué:èndᵃ tssou:k
(est ce un direct train)

Y a-t-il un changement ?
Muss man umsteigen?
mouss ma'n oum-chtaïg'n
(doit on changer)

Cette place est libre ?
Ist dieser Platz frei?
ist di:zᵃ platss fraï
(est cette place libre)

Serons-nous à l'heure à… ?
Kommen wir pünklich in… an?
*kome'n vi:r p(**unk**)tlich☺ i'n… a'n*
(venons nous ponctuel dans… à)

Le train pour… a-t-il du retard ?
Hat der Zug nach… Verspätung?
*Hat dè:r tssou:k na:rH… fèrchp**è**:t(oung)*
(a le train vers… retard)

Le train pour… part de la voie…
Der Zug nach… fährt vom Gleis… ab.
dè:r tssou:k na:rH… fè:rt fom glaïss… ap
(le train vers… part de-la voie… de)

En taxi

Je voudrais aller à l'hôtel…, s'il vous plaît.
Ich möchte bitte zum Hotel…
*ich☺ m**eu**ch☺tœ bitœ tssoum Hôtèl…*
(j'aimerais s'il-vous-plaît à-l hôtel…)

Voici l'adresse.
Hier ist die Adresse.
Hi:r ist di adrèssœ
(ici est l'adresse)

Je continuerai à pied.
Ich gehe zu Fuß weiter.
*ich☺ gu**é**:œ tssou fou:ss v**aï**[a]*
(je vais à pied plus-loin)

Je peux descendre ici.
Ich kann hier aussteigen.
*ich☺ ka'n Hi:r a**ô**ss-chtaïg'n*
(je peux ici descendre)

En deux-roues et en bateau

le casque	der Helm	*dè:r Hèlm*
la moto	das Motorrad	*dass môtô:-ra:t*
le scooter	das Moped	*dass mô:pèt*
le vélo	das Fahrrad	*dass fa:-ra:t*

le bac	die Fähre	*di fè:rœ*
le bateau	das Schiff	*dass chif*
le port	der Hafen	*dè:r Ha:f'n*

J'y vais en moto.
Ich fahre mit dem Motorrad.
ich☺ fa:rœ mit dé:m môtô:-ra:t
(je roule avec le moteur-roue)

Le tour en bateau coûte 7 euros.
Die Schiffstour kostet sieben Euros.
di: chifss-tou:r koste't zi:b'n oïro
(le bâteau-tour coûte 7 euros)

Location de voiture

l'assurance	die Versicherung	*di fòrzich☺er(ouny)*
le permis de conduire	der Führerschein	*dè:r fu:rᵉ-chaïn*
la voiture de location	der Mietwagen	*dè:r mi:t-va:g'n*

J'aimerais louer une voiture pour une semaine.
Ich möchte einen Mietwagen für eine Woche.
ich☺ meuch☺tœ aïne'n mi:t-va:g'n fu:r aïnœ vorHœ
(j'aimerais une location-voiture pour une semaine)

Combien ça coûte par jour ?
Wie viel kostet das pro Tag?
vi fi:l koste't dass prô ta:k
(comment beaucoup coûte ça par jour)

Circuler en voiture

Si vous voulez utiliser le réseau autoroutier autrichien, vous devrez acheter une vignette, **Pickerl** *[Pikerl], autocollant*. En fonction de la durée de votre séjour, vous pourrez acheter une vignette valable entre un jour et plusieurs mois. En Allemagne par contre, les autoroutes sont gratuites.

l'autoroute	**die Autobahn**	*di a**ô**to-ba:n*
la carte routière	**die Landkarte**	*di la'nd-kartœ*
la circulation	**der Verkehr**	*dè:r fèrk**é**:r*
l'embouteillage	**der Stau**	*dè:r chta**ô***
l'essence *- diesel/sans plomb*	**das Benzin** **- Diesel/bleifrei**	*dass bèntss**i**:n* *- dizel/bla**ï**-fraï*
le garage	**die Werkstatt**	*di vèrkchtat*
la nationale	**die Bundesstraße**	*di b**ou**ndes-chtra:ssœ*
la place de stationnement	**der Parkplatz**	*dè:r park-platss*
la priorité	**die Vorfahrt**	*di f**ô**:r-fa:rt*
la station-service	**die Tankstelle**	*di t(**ank**)-chtèlœ*
le ticket de stationnement	**der Parkschein**	*dè:r park-chaïn*
la vitesse	**die Geschwindigkeit**	*di gu**é**chvindich☺kaït*
la (les) voiture(s)	**das/die Auto(s)/** **der/die Wagen(-)**	*dass/di a**ô**to(ss)/* *dè:r/di va:g'n(-)*

Roule moins vite !
Fahr langsamer!
*fa:r la'ngzam**ª***
(roule plus-lentement)

Il y a un embouteillage.
Es gibt einen Stau.
*èss guibt a**ï**ne'n chta**ô***
(il donne un embouteillage)

Puis-je me garer ici ?
Darf ich hier parken?
darf ich☺ Hi:r park'n
(ai-droit je ici garer)

Il faut prendre de l'essence.
Wir müssen tanken.
vi:r muss'n t(ank)'n
(nous devons prendre-de-l'essence)

Je m'arrête à la prochaine station-service.
Bei der nächsten Tankstelle halte ich an.
baï dè:r nèkst'n t(ank)-chtèlœ Haltœ ich☺ a'n
(chez le prochain réservoir-endroit arrête je à)

Le plein s'il vous plaît !
Volltanken bittel
fol-t(ank)'n bitœ
(plein-prendre-de-l'essence s'il-vous-plaît)

Pouvez-vous vérifier la pression des pneus ?
Können Sie den Luftdruck überprüfen?
keune'n zi: dé:n louft-drouk ub^a-pru:f'n
(pouvez vous l'air-pression contrôler)

En cas de problème

Où est le garage le plus proche ?
Wo ist die nächste Werkstatt?
vô: ist di nèkstœ vèrkchtat
(où est le prochain garage)

Je suis tombé(e) en panne.
Ich habe eine Panne.
ich☺ Ha:bœ aïnœ panœ
(j'ai une panne)

J'ai un pneu crevé.
Ich habe einen Platten.
ich☺ Ha:bœ aïne'n plat'n
(j'ai un pneu-crevé)

Il faut que je change ce pneu.
Ich muss diesen Reifen wechseln.

ich☺ mouss di:z'n raïf'n vèksseln

(je dois cette roue changer)

Pouvez-vous le réparer ?
Können Sie (v.) das reparieren?

keune'n zi: dass répari:r'n

(pouvez vous ça réparer)

Combien de temps cela prendra-t-il ?
Wie lange brauchen Sie dafür?

vi l(ang)œ braôrH'n zi: da-fu:r

(combien longtemps nécessitez vous là-pour)

Combien coûte la réparation ?
Wie viel kostet die Reparatur?

vi fi:l koste't di réparatou:r

(comment beaucoup coûte la réparation)

Mots utiles

l'allumage	**die Zündung**	*di tssu'nd(oung)*
la batterie	**die Batterie**	*di bateri:*
la boîte de vitesses	**das Getriebe**	*dass guétri:bœ*
la (les) bougie(s)	**die Zündkerze(n)**	*di tssu'nt-kèrtssœ('n)*
la ceinture de sécurité	**der Sicherheitsgurt**	*dè:r zich☺ªHaïtsgourt*
les chaînes	**die Schneeketten**	*di chné:-kèt'n*
le clignotant	**der Blinker**	*dè:r bl(ink)ª*
le démarreur	**der Anlasser**	*dè:r a'nlassª*

l'embrayage	die Kupplung	di **kou**pl(oung)
les essuies-glaces	die Scheibenwischer	di chaïb'n-vich[a]
les feux (de détresse)	die Lichter (Warn-)	di lich☺t[a] (varn-)
les freins	die Bremsen	di **brè**mz'n
le gilet avec bandes réfléchissantes	die Warnweste	di **v**arn-vèstœ
le moteur	der Motor	dè:r mô**tô**:r
le pare-brise	die Windschutzscheibe	di vi'nd-choutsschaïbœ
le pare-chocs	die Stoßstange	di ch**tô**:sscht(ang)œ
le(s) pneu(s)	der/die Reifen(-)	dè:r/di **raï**f'n(-)
le pot d'échappement	der Auspuff	dò:r **a**ôsspouf
le réservoir	der Benzintank	dè:r **bè**ntssi:n-t(ank)
le rétroviseur	der Rückspiegel	dè:r ruk-chpi:guel
la (les) roue(s)	das/die Rad (Räder)	dass/di ra:t (**rè**:d[a])
le triangle de sécurité	das Warndreieck	dass varn-draï-èk
la vitre	die Scheibe	di chaïbœ
le volant	das Steuer	dass ch**toï** [a]

Panneaux

ARRÊT DE BUS	BUSHALTESTELLE	**bou**ss-Haltœchtèlœ
ATTENTION	ACHTUNG	**ar**Ht(oung)
DANGER	GEFAHR	gué**fa**:r
DÉVIATION	UMLEITUNG	**o**um-laït(oung)
HAUTEUR LIMITÉE	DURCHFAHRTSHÖHE	**d**ourch☺-fa:rtsHeu:œ
INTERDIT	VERBOTEN	fèr**bô**:t'n
SANS ISSUE	SACKGASSE	**z**ak-gassœ
SENS UNIQUE	EINBAHNSTRASSE	**aï**n-ba:nchtra:ssœ
TRAVAUX	BAUARBEITEN	ba**ô**-arbaït'n

↗ En ville

Pour trouver son chemin

l'agent	der Polizist	dè:r **po**litssist
la banlieue	der Vorort	dè:r fô:r-ort
le chemin	der Weg	dè:r vé:k
le centre-ville	das Stadtzentrum	dass chtat-tssèntroum
la direction	die Richtung	di rich☺t(oung)
le plan	der Stadtplan	dè:r chtat-pla:n
la (les) rue(s)	die Straße(n)	di chtra:ssœ('n)
la ville	die Stadt	di chtat

C'est...	Es ist...	èss ist
à droite.	rechts.	rèch☺tss
à gauche.	links.	l(ink)ss
à l'angle.	um die Ecke.	oum di **è**kœ
après le croisement.	nach der Kreuzung.	na:rH dè:r kroïtss(oung)
après le feu.	nach der Ampel.	na:rH dè:r **a**'mpel
cent mètres plus loin.	hundert Meter weiter.	Houndᵃt mé:tᵃ vaïtᵃ
en face.	gegenüber.	gu**é**g'n-u:bᵃ
ici.	hier.	Hi:r
là-bas.	dort.	dort
loin.	weit.	vaït
près.	nah.	na:
tout droit.	geradeaus.	gu**é**ra:dœ-a**ô**ss

l'est	der Osten	dè:r **o**st'n
le nord	der Norden	dè:r nord'n
l'ouest	der Westen	dè:r vèst'n
le sud	der Süden	dè:r zu:d'n

Excusez-moi ! Quel est le chemin pour aller à la gare ?
Entschuldigung! Wie komme ich zum Bahnhof?
*èntch**ou**ldig(oung) vi: k**o**mœ ich☺ tssoum b**a**:n-Hô:f*
(pardon comment arrive je à-la train-cour)

C'est indiqué.
Es ist ausgeschildert.
*èss ist **aô**ss-guéchild^at*
(ça est indiqué)

À pied et en voiture

Prenez la deuxième à gauche.
Nehmen Sie (v.) die zweite links.
*n**é**:me'n z**i**: di tssv**aï**tœ l(ink)ss*
(prenez vous la deuxième gauche)

C'est loin à pied ?
Wie weit ist es zu Fuß?
vi vaït ist èss tssou fou:ss
(comment loin est ce à pied)

Vous vous êtes trompés. (à pied)
Sie haben sich verlaufen.
*zi: H**a**:b'n zich☺ fèr-l**aô**f'n*
(vous avez vous trompé)

Vous vous êtes trompés. (en voiture)
Sie haben sich verfahren.
*zi: H**a**:b'n zich☺ fèr-f**a**:r'n*
(vous avez vous trompé)

Continuez toujours tout droit. (en voiture)
Fahren Sie (v.) immer weiter geradeaus.
*f**a**:r'n zi: im^a v**aï**t^a guéra:dœ-**aô**ss*
(roulez vous toujours plus-loin tout-droit)

Vous devez faire demi-tour.
Sie (v.) müssen zurückfahren.

zi: m**u**ss'n tss**ou**ruk-fa:r'n

(vous devez retour-rouler)

Tournez à droite.
Biegen Sie (v.) rechts ab.

bi:g'n zi: r**è**ch☺tss ap

(tournez vous droite de)

Métro, bus, tramway

le bus	der Bus	dè:r bouss
le métro	die U-Bahn	di **ou**-ba:n
le tramway	die Straßenbahn	di chtr**a**:ss'n-ba:n

Où se trouve l'arrêt de bus / la station de métro la plus proche ?
Wo ist die nächste Bushaltestelle/U-Bahnstation?

vô ist di n**è**kstœ b**ou**ss-Haltœ-chtèlœ/**ou**-ba:n-chtatsiô:n

(où est le prochain bus-arrêt-endroit)

Prends la ligne…
Nimm die Linie…

nim di l**i**niœ…

Vous devez changer à la prochaine station.
Sie (v.) müssen bei der nächsten Station umsteigen.

zi: m**u**ss'n baï dè:r n**è**kst'n chtatsiô:n **ou**m-chtaïg'n

(vous devez chez la prochaine station changer)

Visite d'expositions, musées, sites

Il est impossible de citer tous les musées ou sites méritant une visite, mais voici juste quelques recommandations parmi tant d'autres : les musées d'art comme **die Alte und die Neue Pinakothek** *[di **a**ltœ ount di no**ï**œ pinakoté:k]* à Munich, les fameux châteaux romantiques de Bavière, ou encore le château de

Schönbrunn *[cheu:nbroun]* ou la *Maison de la musique*, **Haus der Musik** *[Haôss dè:r mouzi:k]* de Vienne, qui se veut autant un musée qu'un laboratoire de musicologie.

le(s) billet(s)	die Eintrittskarte(n)	di *aïn*-trits-kartœ('n)
-adultes/enfants	-Erwachsene/Kinder	-*è*rvakssenœ/ki'nd[a]
le(s) château(x)	das/die Schloss (Schlösser)	dass/di chloss (chleuss[a])
l'exposition	die Ausstellung	di *aô*ss-chtèl(oung)
les horaires d'ouverture	die Öffnungszeiten	di *eu*fn(oung)s-tssaït'n
le musée	das Museum	dass mouzó:oum
la visite	die Besichtigung	di bézich☺ti(goung)

Je voudrais une entrée s'il vous plaît.
Ich möchte bitte eine Eintrittskarte.
ich☺ m*eu*ch☺tœ bitœ *aï*nœ *aï*n-tritss-kartœ
(j'aimerais s'il vous plaît une entrée-carte)

Jusqu'à quelle heure dure la visite ?
Bis wie viel Uhr ist die Besichtigung?
biss vi fi:l ou:r ist di bézich☺tig(oung)
(jusque comment beaucoup heure est la visite)

L'entrée est libre.
Der Eintritt ist frei.
dè:r *aï*n-trit ist fraï

À quelle heure ouvre/ferme le musée ?
Um wie viel Uhr öffnet/schließt das Museum?
oum vi fi:l ou:r *eu*fne't/chli:sst dass mouz*é*:oum
(à comment beaucoup heure ouvre/ferme le musée)

Sorties (cinéma, théâtre, concert…)

le cinéma	das Kino	dass ki:nô
le concert	das Konzert	dass **ko'n**tssèrt
le film	der Film	dè:r film
l'opéra	die Oper	di **ô**:pª
l'orchestre	das Orchester	dass orkèstª
la pièce de théâtre	das Theaterstück	dass téa:tª-chtuk
la place	der Platz	dè:r platss
le théâtre	das Theater	dass téa:tª

J'aimerais deux places pour le concert de ce soir.
Ich möchte zwei Plätze für das Konzert von heute Abend.
ich☺ m**eu**ch☺tœ tssvaï pl**è**tssœ fu:r dass ko**'n**tssèrt fo'n Hoïtœ **a**:be'nt
(j'aimerais deux places pour le concert de aujourd'hui soir)

Malheureusement, tout est vendu.
Leider ist alles ausverkauft.
laïdª ist al**è**ss **aô**ss-fèrkaôft
(malheureusement est tout épuisé)

Voulez-vous aller au cinéma ?
Möchtet ihr (t.pl.) ins Kino gehen?
m**eu**ch☺te't i:r i'nss ki:nô gu**é**:e'n
(aimeriez vous dans-le cinéma aller)

Combien coûtent les places ?
Wie teuer sind die Plätze?
vi t**oï**ª zi'nt di pl**è**tssœ
(comment cher sont les places)

Autres curiosités

Où se trouve… ?	Wo befindet sich…?	vô: béfi'nde't zich☺
le carillon	das Glockenspiel	dass glok'n-chpi:l
la cathédrale	die Kathedrale	di katédra:lœ
le cimetière	der Friedhof	dè:r fri:d-Hô:f
l'église	die Kirche	di kirch☺œ
la forteresse	die Burg	di bourg
le jardin botanique	der botanische Garten	dè:r bota:nichœ gart'n
la mairie	das Rathaus	dass ra:t-Haôss
le marché de Noël	der Weihnachtsmarkt	dè:r vaï-narHtsmarkt
le palais	der Palast	dè:r palast
la place	der Platz	dè:r platss
le port	der Hafen	dè:r Ha:f'n
le stade	das Stadion	dass chta:dio'n
la tombe (de)	das Grab (von)	dass gra:b (fo'n)
le zoo	der Zoo	dè:r tsso:

À la poste

l'adresse	die Adresse	di adrèssœ
la carte postale	die Postkarte	di post-kartœ
le colis	das Päckchen	dass pèkch☺'n
le courrier	die Post	di post
le destinataire	der Empfänger	dè:r èmpf(eng)[a]
l'enveloppe	der Briefumschlag (-umschläge)	dè:r bri:f-oumchla:k (-oumchlè:guœ)
en express	per Eilpost	pèr aïl-post
en recommandé	per Einschreiben	pèr aïn-chraib'n
l'expéditeur	der Absender	dè:r abzènd[a]
la lettre	der Brief	dè:r bri:f

la poste/	die Post/	di post/
le bureau de poste	das Postamt	dass post-amt
le timbre	die Briefmarke	di bri:f-markœ

Où se trouve le bureau de poste le plus proche ?
Wo befindet sich das nächste Postamt?
vô: béfi'nde't zich☺ dass nèkstœ post-amt
(où trouve se le prochain poste-bureau)

J'aimerais des timbres pour l'Europe.
Ich hätte gern Briefmarken für Europa.
ich☺ Hètœ guèrn bri:f-mark'n fu:r eurô:pa
(j'aurais volontiers lettre-marques pour Europe)

J'aimerais envoyer cette lettre en recommandé.
Ich möchte diesen Brief per Einschreiben abschicken.
ich☺ meuch☺tœ di:z'n bri:f pèr aïn-chraïb'n ap-chick'n
(j'aimerais cette lettre par recommandé envoyer)

Au téléphone

Pour répondre au téléphone, les germanophones disent généralement leur nom en ajoutant éventuellement **am Apparat** *[am apara:t]*, au téléphone : (**Peter**) **Schmidt** (**am Apparat**).

l'annuaire	das Telefonbuch	dass téléfô:n-bou:rH
la cabine téléphonique	die Telefonzelle	di téléfô:n-tssèlœ
la carte de téléphone	die Telefonkarte	di téléfô:n-kartœ
l'indicatif	die Vorwahl	di fô:r-va:l
le message	die Nachricht	di na:rHrich☺t
le numéro de téléphone	die Telefonnummer	di téléfô:n-numm[a]
le portable	das Handy	dass Hèndi

le répondeur	der Anrufbeantworter	dè:r a'n-rou:f-béa'ntvort[a]
le SMS	die SMS	di S-M-S
le téléphone	das Telefon	dass téléfô:n

Je dois téléphoner.
Ich muss anrufen.
ich☺ mouss a'n-rou:f'n
(je dois appeler)

Quel est ton numéro de téléphone/de portable ?
WIe lautet deine Telefonnummer/Handynummer?
vi· laôte't daïnœ téléfô:n-noum[a]/Hèndi-noum[a]
(comment sonne ton téléphone-numéro/ portable numéro)

J'ai envoyé/reçu un SMS.
Ich habe eine SMS geschickt/bekommen.
ich☺ Ha:bœ aïnœ S-M-S guéchikt/békome'n
(j'ai un SMS envoyé/reçu)

Une conversation téléphonique

Allô, je vous entends mal.
Hallo, ich höre Sie (v.) schlecht.
Halô ich☺ Heu·rœ zi: chlèch☺l
(allô je entends vous mal)

Qui est à l'appareil ?
Wer ist am Apparat?
vè:r ist am apara:t
(qui est à-l'appareil)

J'aimerais parler avec Paula.
Ich möchte mit Paula sprechen.
ich☺ meuchtœ mit paôla chprèch'n
(j'aimerais avec Paula parler)

C'est occupé.
Es ist besetzt.
èss ist bézètsst

Puis-je laisser un message ?
Kann ich eine Nachricht hinterlassen?
ka'n ich☺ aïnœ na:rHrich☺t Hi'ntª-lass'n
(peux je un message derrière-laissé)

Je me suis trompé de numéro.
Ich habe mich verwählt.
Ich☺ Ha:bœ mich☺ fèrvè:lt
(j'ai me trompé)

Au revoir !
Auf Wiederhören!
aôf vi:dª-Heu:r'n
(à re-écouter)

Internet

Où y a-t-il un cybercafé par ici, s'il vous plaît ?
Wo gibt es hier ein Internetcafé bitte?
vô: guibt èss Hi:r aïn i'ntªnèt-kafé: bitœ
(où donne il ici un Internet-café s'il-vous-plaît)

Je t'envoie tout par e-mail.
Ich schicke dir alles per Email.
ich☺ chickœ di:r alèss pèr imail
(je envoie à-toi tout par e-mail)

Je voudrais consulter mes e-mails.
Ich möchte meine Mailbox abrufen.
ich☺ meuch☺tœ maïnœ mail-box ap-rou:f'n
(j'aimerais ma mails-boîte consulter)

La connexion est mauvaise.

Die Verbindung ist schlecht.

di fèrbi'nd(oung) ist chlèch☺t

J'aimerais télécharger ce document.

Ich möchte dieses Dokument herunterladen.

ich☺ meuch☺tœ di:zess dokoumènt Hèrountᵃ-la:d'n

(j'aimerais ce document télécharger)

L'administration

Voici une liste complémentaire de services administratifs où vous pouvez vous rendre en cas de perte ou de vol.

l'ambassade	die Botschaft	di bo:tchaft
le consulat	das Konsulat	dass ko'nzoula:t
la police	die Polizei	di politssaï

Je cherche le consulat français.

Ich suche das französische Konsulat.

ich☺ zou:rHœ dass fra'ntsseu:zichœ ko'nzoula:t

(je cherche le français consulat)

On m'a volé mes papiers et mon porte-monnaie.

Mir wurden meine Papiere und mein Geldbeutel gestohlen.

mi:r vourd'n maïnœ papi:rœ ount maïn guèlt-boïtel guéchtô:l'n

(à-moi devinrent mes papiers et mon porte-monnaie volé(s))

Je voudrais déposer une plainte.

Ich möchte eine Anzeige erstatten.

ich☺ meuch☺tœ aïnœ a'n-tssaïguœ èrchtat'n

(j'aimerais une plainte déposer)

À la banque

l'argent	das Geld	dass gu**è**lt
la banque	die Bank	di b**(ank)**
le(s) billet(s)	der/die Schein(e)	dè:r/di chaïn(œ)
la carte de crédit	die Kreditkarte	di kr**é**dit-kartœ
les devises	die Währung	di v**è**:r**(oung)**
la monnaie	das Kleingeld	dass klaïn-gu**è**lt
la (les) pièce(s)	die Münze(n)	di m**u**'ntssœ('n)

Où y a-t-il un distributeur automatique ?
Wo gibt es einen Bankautomaten?
vô: guibt èss **aï**ne'n b**(ank)**-aôtoma:t'n
(où donne il un banque-automate)

Peux-tu retirer 100 euros ?
Kannst du 100 Euros abheben?
ka'nst dou: h**ou**nd**ᵃ**t **oï**ro's **a**p-H**é**:b'n
(peux tu 100 euros retirer)

J'aimerais changer de l'argent.
Ich möchte Geld wechseln.
ich☺ m**eu**ch☺tœ gu**è**lt v**è**ksseln
(j'aimerais argent changer)

Chez le coiffeur

blond	blond	blo'nt
châtain	braun	braôn
les cheveux	die Haare	di Ha:rœ
le coiffeur	der Friseur	dè:r friz**eu**:r
la coupe de cheveux	der Haarschnitt	dè:r Ha:r-chnit

court	**kurz**	kourtss
la frange	**das Pony**	dass po*ni*
gras	**fettig**	fè*tich*☺
long	**lang**	l**(ang)**
noir	**schwarz**	chvartss
normal	**normal**	norma:l
la permanente	**die Dauerwelle**	di da**ô**ᵃ-vèlœ
roux	**rötlich**	r**eu**:tlich☺
sec	**trocken**	trok'n
le sèche-cheveux	**der Fön**	dè:r feu.n
le shampooing	**das Shampoo**	dass cha'mpou

J'aimerais me faire couper/teindre les cheveux.
Ich möchte mir die Haare schneiden/färben lassen.
ich☺ m**eu**ch☺t**œ** mi:r di Ha:r**œ** chn**aï**d'n/fèrb'n lass'n
(j'aimerais à-moi les cheveux couper/teindre laisser)

Pas trop court.
Nicht zu kurz.
nich☺t tssou kourtss

↗ À la montagne, à la plage, à la campagne
Montagne et sports de loisir

L'Allemagne, et avant tout l'Autriche, dont les Alpes occupent les deux tiers de sa surface au sol, offrent de nombreuses possibilités aux amateurs de ski et de randonnées en montagne. Parmi les grandes stations autrichiennes, vous trouverez entre autres **Sankt-Anton** *[z**(ank)**t a'nto'n]*, **Badgastein** *[badgastaïn]*, **Lech** *[lèch☺]*, **Kitzbühel** *[kitssbu:l]*…

le forfait	**der Schipass**	*dè:r chi:-pass*
le lac	**der See**	*dè:r zé:*
la montagne	**der Berg**	*dè:r bèrg*
la neige	**der Schnee**	*dè:r chné:*
le refuge	**die Hütte**	*di Hutœ*
le remonte-pente	**der Lift**	*dè:r lift*
le ruisseau	**der Bach**	*dè:r barH*
le sentier	**der Wanderweg**	*dè:r va'nd^a-vé:k*
les skis et les bâtons de ski	**die Schier** **und die Schistöcke**	*di chi^a* *ount di chi:chteukœ*
la station de ski	**der Schiort**	*dè:r chi:-ort*
la télécabine	**die Gondel**	*di go'ndel*
le télésiège	**der Sessellift**	*dè:r zèssel-lift*
le(s) village(s)	**das/die Dorf (Dörfer)**	*dass/di dorf (deurf^a)*

Je vais à la montagne.
Ich fahre in die Berge.
ich☺ fa:rœ i'n di bèrguœ
(je roule dans les montagnes)

J'aime faire du ski.
Ich laufe gern Schi.
ich☺ laôfœ guèrn chi:
(je cours volontiers ski)

Nous voulons faire une randonnée.
Wir möchten eine Wanderung machen.
vi:r meuch☺t'n aïnœ va'nder(oung) marH'n
(nous aimerions une randonnée faire)

Plage, piscine, sports de loisir

La *mer du Nord*, **Nordsee** *[nort-zé:]*, et la *Baltique*, **Ostsee** *[osst-zé:]*, avec leurs nombreuses petites îles, sont les régions balnéaires d'Allemagne où les touristes affluent chaque été. Contrairement à la *Baltique*, le phénomène des marées est particulièrement marqué au bord de la mer du Nord.

le bâteau à voile	das Segelboot	dass zé:guel-bo:t
le crabe	der Seekrebs	dè:r zé:-krébss
le coquillage	die Muschel	di mouchel
marée basse/haute	Ebbe/Flut	èbœ/flou:t
la mer	das Meer	dass mé:r
la plage	der Strand	dè:r chtra'nt
la piscine	das Schwimmbad	dass chvi'm-ba:t
le sable	der Sand	dè:r za'nt
le surf	das Surfbrett	dass surf-brèt
la vague	die Welle	di vèlœ

Nous allons à la plage.
Wir gehen an den Strand.
vi:r gué:e'n a'n dé:n chtra'nt
(nous allons à la plage)

À quelle heure ouvre/ferme la piscine ?
Um wie viel Uhr öffnet/schließt das Schwimmbad?
oum vi fil ou:r eufne't/chli:st dass chvi'm-ba:t
(à comment beaucoup heure ouvre/ferme le nage-bain)

Tu peux faire du surf, de la plongée ou de la voile.
Du kannst surfen, tauchen oder segeln.
dou: ka'nsst surf'n, taôrH'n ô:dᵃ zé:gueln
(tu peux surfer, plonger ou faire-de-la-voile)

À la campagne

Nous pouvons aller à la campagne.
Wir können aufs Land fahren.
vi:r keune'n aôfss la'nt fa:r'n
(nous pouvons sur le pays rouler)

Nous aimerions passer une semaine à la ferme.
Wir möchten eine Woche auf dem Bauernhof verbringen.

vi:r m**eu**ch☺t'n **aï**nœ v**or**Hœ **aô**f dé:m b**aô**ᵃn-Hô:f fèrbr(**ing**)'n

(nous aimerions une semaine sur le fermier-cour passer)

Nous allons dans les bois.
Wir gehen in den Wald.

vi:r gu**é**:e'n i'n dé:n valt

(nous allons dans la forêt)

Camper et camping

l'auvent	das Vordach	dass fô:r-darH
le camping	der Campingplatz	dè:r kèmp(ing)-platss
le camping-car	das Wohnmobil	dass vô:n-mobi:l
la caravane	der Wohnwagen	dè:r vô:n-va:g'n
le matelas pneumatique	die Luftmatratze	di louft-matratssœ
le sac de couchage	der Schlafsack	dè:r chla:f-zak
la tente	das Zelt	dass tssèlt

Peut-on camper ici ?
Kann man hier zelten?

ka'n ma'n Hi:r tss**è**lt'n

(peut on ici camper)

Où se trouve le camping le plus proche ?
Wo ist der nächste Campingplatz?

vo: ist dè:r n**è**kstœ k**è**mp(ing)-platss

(où est le prochain camping-place)

Combien coûte l'emplacement pour une caravane ?

Wie viel kostet es für einen Wohnwagen?

*vi fi:l ko*ste't èss fu:r **aï**ne'n vo:n-va:g'n

(comment beaucoup coûte ça pour une loge-voiture)

Voici une liste complémentaire concernant l'équipement de camping :

l' (les) allumette(s)	**das/die Streichholz (Streichhölzer)**	*dass/di chtraïch☺-Holtss (chtraïch☺-Heultss[a])*
la casserole	**der Kochtopf**	*dè:r korh-topf*
la chaise pliante	**der Klappstuhl**	*dè:r klap-chtou:l*
les ciseaux	**die Scheere**	*di ché:rœ*
la corde	**das Seil**	*dass zaïl*
le couteau de poche	**das Taschenmesser**	*dass tach'n-mèss[a]*
les couverts	**das Besteck**	*dass béchtèk*
le gaz butane	**das Butangaz**	*dass bouta'n-ga:ss*
la glacière	**der Eisschrank**	*dè:r aïss-chr(ank)*
la lampe (de poche)	**die (Taschen)Lampe**	*di (tach'n)-la'mpœ*
le marteau	**der Hammer**	*dè:r Ham[a]*
la moustiquaire	**das Mückennetz**	*dass muk'n-nètss*
l'ouvre-boîte	**der Dosenöffner**	*dè:r do:z'n-eufn[a]*
l'ouvre-bouteille	**der Flaschenöffner**	*dè:r flach'n-eufn[a]*
la pharmacie	**der Verbandskasten**	*dè:r fèrba'ntss-kasst'n*
la poêle à frire	**die Bratpfanne**	*di bra:t-pfa'nœ*
le réchaud à gaz	**der Gaskocher**	*dè:r ga:z-korH[a]*
la table pliante	**der Klapptisch**	*dè:r klap-tich*
le thermos	**die Thermosflasche**	*di tèrmôs-flachœ*
le tire-bouchon	**der Korkenzieher**	*dè:r kork'n-tssi:[a]*
la vaisselle	**das Geschirr**	*dass guéchir*

Arbres, plantes, fleurs

l' (les) arbre(s)	der/die Baum (Bäume*)	dè:r/di ba**ô**m (b**eu**mœ)
la (les) feuille(s)	das/die Blatt (Blätter)	dass/di blat (bl**è**t^a)
la (les) fleur(s)	die Blume(n)	di bl**ou**:mœ('n)
la (les) plante(s)	die Pflanze(n)	di pfla'ntssœ('n)

* Correspond également au pluriel des noms d'arbre composés avec le mot **-baum : Kirschbaum/Kirschbäume**.

le bouleau(x)	die Birke(n)	di b**i**rkœ('n)
le cerisier(s)	der Kirschbaum	dè:r k**i**rch-ba**ô**m
le châtaignier(s)	die Kastanie(n)	di k**a**sta:niœ('n)
le chêne(s)	die Eiche(n)	di **aï**chœ('n)
le peuplier(s)	die Pappel(n)	di p**a**pel(n)
le poirier(s)	der Birnbaum	dè:r b**i**rn-ba**ô**m
le pommier(s)	der Apfelbaum	dè:r **a**pfel-ba**ô**m
le sapin(s)	die Tanne(n)	di t**a**nœ('n)

les boutons d'or	die Butterblumen	di b**ou**t^a- bl**ou**:me'n
les géraniums	die Geranien	di gu**é**ra:nie'n
les pâquerettes	die Gänseblümchen	di gu**è**nzœblu:mch☺'n
les roses	die Rosen	di r**ô**:z'n
les tulipes	die Tulpen	di t**ou**lp'n

Animaux

l' (les) animal(aux)	das/die Tier(e)	dass/di ti:r(œ)
l' (les) oiseau(x)	der/die Vogel (Vögel)	dè:r/di f**ô**:guel (f**eu**:guel)
le(s) poisson(s)	der/die Fisch(e)	dè:r/di fich(œ)

le vétérinaire	der Tierarzt	dè:r ti:r-artsst

Animaux domestiques et de la ferme

le bœuf(s)	**der Ochs(en)**	dè:r **o**kss('n)
le chat(s)	**die Katze(n)**	di **k**atssœ('n)
le cheval(aux)	**das Pferd(e)**	dass pf**é**rt (pférdœ)
le chien(s)	**der Hund(e)**	dè:r **H**ount (**H**oundœ)
le cochon(s)	**das Schwein(e)**	dass chvaïn(œ)
le coq(s)	**der Hahn (Hähne)**	dè:r **H**a:n (**H**ènœ)
le lapin(s)	**das Kaninchen(-)**	dass kan**i**:nch'n(-)
le mouton(s)	**das Schaaf(e)**	dass cha:f(œ)
le poisson(s) rouge(s)	**der Goldfisch(e)**	dè:r g**o**ld-tich(œ)
la poule(s)	**das Huhn (Hühner)**	dass Hou:n (**H**u:nª)
la vache(s)	**die Kuh (Kühe)**	di kou: (**k**u:œ)

Animaux sauvages

l'aigle(s)	**der Adler(-)**	dè:r **a**:dlª(-)
le cerf(s)	**der Hirsch(e)**	dè:r **H**irch(œ)
le chameau(x)	**das Kamel(e)**	dass kam**é**:l(œ)
le corbeau(x)	**der Rabe(n)**	dè:r **r**a:bœ('n)
le cygne(s)	**der Schwan (Schwäne)**	dè:r chva:n (chvè:nœ)
le dauphin	**der Delfin(e)**	dè:r d**é**lfi:n(œ)
l'écureuil(s)	**das Eichhörnchen(-)**	dass aïch☺-Heurn-ch☺'n(-)
l'éléphant(s)	**der Elefant(en)**	dè:r él**é**fa'nt('n)
la girafe(s)	**die Girafe(n)**	di guirafœ('n)
le hérisson(s)	**der Igel(-)**	dè:r **i**:guel(-)
le hibou(x)	**die Eule(n)**	di **o**ïlœ('n)
l'hippopotame(s)	**das Nilpferd(e)**	dass n**i**:l-pfert (-pférdœ)
le lion(s)	**der Löwe(n)**	dè:r **l**eu:vœ('n)
le loup(s)	**der Wolf (Wölfe)**	dè:r volf (**v**eulfœ)
la marmotte(s)	**das Murmeltier(e)**	dass m**o**urmel-ti:r(œ)

le moineau(x)	der Spatz(en)	*dè:r chpatss('n)*
la mouette(s)	die Möwe(n)	*di meu:vœ('n)*
l'ours(-)	der Bär(en)	*dè:r bèr('n)*
le pigeon(s)	die Taube(n)	*di taôbœ('n)*
le requin(s)	der Hai(e)	*dè:r Haï(œ)*
le renard(s)	der Fuchs (Füchse)	*dè:r foukss (fukssœ)*
le rhinocéros	das Nashorn (-hörner)	*dass na:ss-Horn (-heurn[a])*
le sanglier(s)	das Wildschwein(e)	*dass vilt-chvaïn(œ)*
le serpent(s)	die Schlange(n)	*di chl(ang)œ('n)*
le singe(s)	der Affe(n)	*dè:r afœ('n)*
la souris(-)	die Maus (Mäuse)	*di maôss (meuzœ)*
la taupe(s)	der Maulwurf (-würfe)	*dè:r maôlvourf (-vurfœ)*
le tigre(s)	der Tiger(-)	*dè:r ti:g[a](-)*
le zèbre(s)	das Zebra(s)	*dass tssébra(ss)*

Insectes

l'abeille(s)	die Biene(n)	*di bi:nœ('n)*
l'araignée(s)	die Spinne(n)	*di chpinœ('n)*
la coccinelle(s)	der Marienkäfer(-)	*dè:r marie'n-kè:f[a](-)*
la fourmi(s)	die Ameise(n)	*di a:maïzœ('n)*
la guêpe(s)	die Wespe(n)	*di vèspœ('n)*
l'insecte(s)	das Insekt(en)	*dass i'nzèkt('n)*
la mouche(s)	die Fliege(n)	*di fli:guœ('n)*
le moustique(s)	die Mücke(n)	*di mukœ('n)*
le papillon(s)	der Schmetterling(e)	*dè:r chmèt[a]l(ing)(œ)*

↗ Hébergement

Si vous le souhaitez, vous trouverez facilement des chambres chez l'habitant. Elles sont souvent indiquées par des pancartes comme **Zimmer zu vermieten** *[tssimᵃ tss**ou** fèr-mi:t'n]*, *chambres à louer*, ou bien **Ferienzimmer** *[férie'n-tsimᵃ]*, *chambres de vacances*.

l'auberge de jeunesse	die Jugendherberge	di **you**gue'ntHèrbèrguœ
l'hôtel	das Hotel	dass Hôtèl
la pension	die Pension	di pènziô:n

Réservation d'hôtel

J'aimerais...	Ich hätte gern...	ich☺ Hètœ guèrn
une chambre simple.	ein Einzelzimmer.	aïn **aïn**tssel-tssimᵃ
une chambre double.	ein Doppelzimmer.	aïn **do**pel-tssimᵃ
avec lits simples / lit double	mit Einzelbetten/ Doppelbett	mit **aïn**tsselbèt'n/ **do**pel-bèt
avec bain/douche	mit Bad/Dusche	mit ba:t/**dou**:chœ

Avez-vous une chambre libre pour deux nuits ?
Haben Sie (v.) noch ein Zimmer frei für zwei Nächte?
Ha:b'n zi: norH aïn tssimᵃ fraï fu:r tssvaï nèch☺tœ
(avez vous encore une chambre libre pour deux nuits)

Nous avons une chambre libre.
Wir haben ein Zimmer frei.
vi:r Ha:b'n aïn tssimᵃ fraï
(nous avons une chambre libre)

Je la prends.
Ich nehme es.
ich☺ né:mœ èss
(je prends la)

Nous sommes malheureusement complet.
Wir sind leider voll.
vi:r zi'nt laïdᵃ fol
(nous sommes malheureusement pleins)

Combien coûte la nuit avec petit-déjeuner ?
Wie viel kostet die Übernachtung mit Frühstück?
*vi fi:l k**o**ste't di **u**bªnarHt(oung) mit fr**u**:-chtuk*

(comment beaucoup coûte la nuitée avec petit-déjeuner)

À la réception

J'ai réservé une chambre au nom de...
Ich habe ein Zimmer auf den Namen von... reserviert.
*ich☺ **H**a:bœ aïn tssimª **a**ôf dé:n na:me'n fo'n... rézèrvi:rt*

(j'ai une chambre sur le nom de... réservé)

Pouvez-vous s'il vous plaît me réveiller à huit heures ?
Können Sie (v.) mich bitte um acht Uhr wecken?
*k**eu**:ne'n zi: mich☺ bitœ oum arHt ou:r v**è**k'n*

(pouvez vous me s'il-vous-plaît à huit heures réveiller)

À quelle heure est le petit-déjeuner ?
Um wie viel Uhr gibt es Frühstück?
*oum vi fi:l ou:r guibt èss fr**u**:-chtuk*

(à comment beaucoup heure donne tôt-morceau)

Vocabulaire des services et du petit-déjeuner

Voici une liste de termes qui pourront vous servir si vous avez besoin de quelque chose dans votre chambre ou au petit-déjeuner. Le petit-déjeuner, traditionnellement copieux, comporte des mets salés et une grande variété de pains et petits pains.

le bar	**die Bar**	*di ba:r*
la réception	**der Empfang**	*dè:r èmpf**(ang)***
le restaurant	**das Restaurant**	*dass restaurant*

Puis-je avoir… ?

Könnte ich bitte… haben?

keuntœ ich☺ bitœ… Ha:b'n

(pourrais je s'il-vous-plaît… avoir)

une aiguille et du fil	**Nadel und Faden**	*na:del ount fa:d'n*
des cintres	**Bügel**	*bu:guel*
une couverture	**eine Decke**	*aïnœ dèkœ*
du savon	**Seife**	*zaïfœ*
une serviette de bain	**ein Handtuch**	*aïn Ha'nd-tou:rH*
du shampooing	**Shampoo**	*cha'mpou*

une assiette	**einen Teller**	*aïne'n tèl[a]*
du beurre	**Butter**	*bout[a]*
des biscottes	**Zwieback**	*tssvi:bak*
des biscuits	**Kekse**	*ké:kssœ*
du chocolat chaud	**Kakao**	*kakaô*
du café	**Kaffee**	*kafé*
de la charcuterie	**Aufschnitt**	*aôfchnit*
de la confiture	**Marmelade**	*marmela:dœ*
un couteau	**ein Messer**	*aïn mèss[a]*
une cuillère	**einen Löffel**	*aïne'n leufel*
de l'eau	**Wasser**	*vaɔɔ[a]*
une fourchette	**eine Gabel**	*aïnœ ga:bel*
du fromage	**Käse**	*kè:zœ*
un jus d'orange / de pamplemousse	**einen Orangen-/ Pampelmousensaft**	*aïne'n orange'n-/ pa'mpelmou:z'n-zaft*
du lait	**Milch**	*milch*
de la margarine	**Margarine**	*margari:nœ*
du miel	**Honig**	*Hô:nich*
du muesli	**Müsli**	*mu:ssli*

des œufs sur le plat (avec bacon)	**Spiegeleier (mit Speck)**	chpi:guel-aïª (mit chpèk)
des œufs brouillés	**Rühreier**	ru:r-aïª
un œuf à la coque/dur	**ein weich/hart gekochtes Ei**	aïn va**ï**ch☺/Hart gu**é**korHtess **aï**
une omelette	**ein Omelett**	aïn **o**melette
du pain (blanc, complet, noir)	**Brot (Weiß-, Vollkorn-, Schwarz-)**	br**ô**:t (va**ï**ss-, fol-korn-, chvartss-)
des petits pains	**Brötchen**	br**eu**:tch☺'n
du poivre	**Pfeffer**	pf**è**fª
du sel	**Salz**	zaltss
du sucre	**Zucker**	tss**ou**kª
une tasse	**eine Tasse**	a**ï**nœ tassœ
du thé	**Tee**	t**é**:
un verre	**ein Glas**	aïn gla:ss
un yaourt	**ein Yogurt**	aïn y**ô**gourt

Retrouvez les fruits dans le chapitre Nourriture, p. 127.

En cas de petits problèmes

Voici quelques mots-clés qui peuvent vous aider en cas de problème dans votre chambre. Pour former une phrase, citez le terme de l'équipement et faites le suivre des expressions suivant ce tableau :

l'ampoule	**die Glühbirne**	di gl**u**:-birnœ
le chauffage	**die Heizung**	di Ha**ï**tss(oung)
la climatisation	**die Klimaanlage**	di kli:ma-a'nla:guœ
le lavabo	**das Waschbecken**	dass vach-bèk'n
la lumière	**das Licht**	dass lich☺t
la prise	**die Steckdose**	di chtèk-dô:zœ
le robinet	**der Wasserhahn**	dè:r vassª-Ha:n

| le téléphone | **das Telephon** | *dass téléfô:n* |
| *la télévision* | **der Fernseher** | *dè:r fèrn-zé[a]* |

… ne fonctionne pas/est cassé(e).
… funktionniert nicht/ist kaputt.
… f(unk)tsionni:rt nich☺t/isst kapout
(… fonctionne pas/est cassé(e))

Les toilettes sont bouchées.
Die Toiletten sind verstopft.
di toilèt'n zint fèrchtopft

Le robinet goutte.
Der Wasserhahn tropft.
dè:r vass[a]-Ha:n tropft
(le eau-robinet goutte)

Il n'y a pas d'eau chaude.
Es gibt kein warmes Wasser.
èss guibt kaïn va:rmess vass[a]
(il donne pas-de chaude eau)

Régler la note

L'addition s'il vous plaît !
Die Rechnung bitte!
di: rèch☺n(oung) bitœ

J'aimerais un reçu.
Ich hätte gern eine Quittung.
ich☺ Hètœ guèrn aïnœ kvit(oung)
(j'aurais volontiers un reçu)

Pouvez-vous nous appeler un taxi s'il vous plaît ?
Könnten Sie (v.) uns bitte ein Taxi rufen?
keunt'n zi: ounss bitœ aïn taxi rou:f'n
(pourriez vous à-nous s'il vous plaît un taxi appeler)

↗ Nourriture

l'auberge	der Gasthof	dè:r gast-Hô:f
le café (lieu)	das Café	dass kafé:
le restaurant	das Restaurant	dass restaurant
le restoroute	die Raststätte	di rast-chtètœ

Au restaurant

Les Allemands et les Autrichiens prennent leur dîner généralement assez tôt, vers 18 heures. Dans les grandes villes, vous pourrez facilement sortir dîner tard, mais autrement il est plus difficile de réserver après 20 heures.

J'aimerais réserver une table pour deux personnes.
Ich würde gern einen Tisch für zwei Personen reservieren.
ich☺ vurdœ guèrn **aï***ne'n tich fu:r tssvaï pèrz***ô***:ne'n rézèrvi:r'n*
(je voudrais volontiers une table pour deux personnes réserver)

En terrasse si possible.
Auf der Terrasse, wenn möglich.
*a***ô***f dé:r t***é***rassœ vèn m***eu***:glich☺*
(en terrasse si possible)

Nous n'avons pas réservé.
Wir haben nicht reserviert.
vi:r Ha:b'n nich☺t rézèrvi:rt
(nous avons pas réservé)

Avez-vous une table libre pour quatre personnes ?
Haben Sie (v.) einen Tisch für vier Personen frei?
Ha:b'n zi: **aï***ne'n tich fu:r vi:r pèrz***ô***:ne'n fraï*
(avez vous une table pour quatre personnes libre)

Vous souhaitez commander

Nous aimerions commander s'il vous plaît.
Wir würden gern bestellen bitte.
vi:r vurd'n guèrn béchtèl'n bitœ
(nous aimerions volontiers commander s'il-vous-plaît)

En entrée, nous prendrons deux salades.
Als Vorspeise nehmen wir zweimal Salat.
alss fô:r-chpaïzœ né:me'n vi:r tssvaï-mal zala:t
(comme avant-plat voudrions nous deux-fois salade)

Comme plat principal, je préfèrerais du poisson.
Als Hauptspeise hätte ich lieber Fisch.
alss Haôpt-chpaïzœ Hètœ ich☺ li:bᵃ fich
(comme plat principal aurais je de-préférence poisson)

Nous ne prendrons pas de dessert.
Wir nehmen keinen Nachtisch.
vi:r né:me'n kaïne'n na:rH-tich
(nous prenons pas-de après-table)

Vous souhaitez régler

Nous aimerions payer, s'il vous plaît.
Wir würden gern zahlen, bitte.
vi:r vurd'n guèrn tssa:l'n bitœ
(nous aurions volontiers payer s'il-vous-plaît)

C'était très bon.
Es war sehr lecker.
èss va:r zè:r lèkᵃ

Si quelque chose n'allait pas

La viande n'est pas assez/est trop cuite.
Das Fleisch ist nicht durch genug/ist verkocht.
dàss flaïch ist nich☺t dourch☺ guénou:k/ist fèrkorHt
(la viande est pas cuite assez/est trop cuite)

Je n'avais pas commandé cela.
Ich hatte nicht das bestellt.
ich☺ Hatœ nich☺t dass béchtèlt
(j'avais pas ça commandé)

Nous attendons depuis longtemps.
Wir warten schon lange.
vi:r va:rt'n chô:n l(ang)œ
(nous attendons déjà longtemps)

Spécialités et plats traditionnels

Le porc occupe une place importante dans la gastronomie. Vous trouverez une grande variété de *charcuterie*, **Aufschnitt** *[aôfchnit]*, et toutes sortes de *saucisses*, **Würste** *[vursstœ]*, natures ou épicées, grillées ou bouillies. Les amateurs de pâtisseries apprécieront l'heure du **Kaffee und Kuchen** *[kafé ount kou:rH'n]*, *café et gâteau*, et pourront déguster dans un café typique une tarte ou un gâteau souvent accompagné de **Schlagsahne** *[chla:k-za:nœ]*, *crème fouettée.*

Que me recommandez-vous comme spécialité ?
Was empfehlen Sie mir als Spezialität?
vass èmpfé:l'n zi: mi:r alss chpétssialitè:t
(que recommandez vous à-moi comme spécialité)

Viandes et accompagnements

Eisbein *[aïss-baïn]*, *jambonneau de porc salé.*

Frikadellen *[frikadèle'n]*, *boulettes de viande hachée.*

Gulasch *[goulach]*, ragoût de bœuf préparé à base de paprika. D'origine hongroise, la *goulasch* est souvent servie en Allemagne et en Autriche et se cuisine aussi sous forme de soupe, **Gulaschsuppe** *[goulach-zoupœ]*.

Knödel *[kneu:del]*, sorte de quenelles réalisées à partir de pommes de terre crues et cuites, pochées dans l'eau. Elles peuvent par la suite être poêlées.

Maultaschen *[maôl-tach'n]*, sorte de gros raviolis servis en sauce ou dans du bouillon.

Sauerbraten *[zaôᵃ-bra:t'n]*, bœuf avec une sauce brune aigrelette.

Sauerkraut *[zaôᵃ-kraôt]*, *choucroute.*

Schweinshachse *[chvaïnss-hakssœ]*, *jarret de porc.*

Spätzle *[chpètsslœ]*, genre de pâtes servies éventuellement avec des oignons ou avec du fromage et appelées **Käsespätzle** *[kè:zœ-chpètsslœ]*.

Wienerschnitzel *[vi:nᵃ-chnitzel]*, *escalope de porc* ou de *veau panée* servie généralement avec sa fameuse *salade de pommes de terre tiède*, **Kartoffelsalat** *[kartofel-zala:t]*.

Gâteaux

Apfelstrudel *[apfel-chtrou:del]*, *strudel aux pommes.* Gâteau fourré aux pommes et raisins secs et éventuellement accompagné d'une sauce à la vanille.

Brezel *[bré:tssel]*, *bretzel.* Pain en forme de nœud et recouvert de gros sel.

Käsekuchen *[kè:zœ-kou:rH'n]*, *gâteau au fromage blanc.*

Lebkuchen *[lé:bkou:rH'n]*, pâtisserie de Noël faite à base de pain d'épices et recouverte d'un glaçage ou de chocolat.

Linzertorte *[li'ntss[a]-tortœ]*, spécialité autrichienne à base de confiture de framboises à la cannelle.

Sachertorte *[zarH[a]-tortœ]*, gâteau à base de chocolat et de confiture d'abricots.

Schwarzwälderkirschtorte *[chvartss-vèld[a]-kirch-tortœ]*, *forêt-noire*. Gâteau au chocolat fourré de cerises et de crème chantilly.

Stollen *[chtol'n]*, gâteau de Noël fait à base de pâte levée, fourré avec des fruits secs et éventuellement d'une sorte de pâte d'amandes.

Weihnachtsplätzchen *[vaï-narHtss-plètssch'n]*, *sablés de Noël*. À l'époque de l'avent et de Noël, vous trouverez une grande variété de petits gâteaux secs que les familles allemandes et autrichiennes ont coutume de faire elles-mêmes.

Vocabulaire des aliments, condiments et épices

Viandes et poissons

le bœuf	**das Rind**	*dass ri'nt*
le chevreuil	**das Reh**	*dass ré:*
le lapin	**das Kaninchen**	*dass kani:nch☺'n*
le porc	**das Schweinefleisch**	*dass chvaïnœ-flaïch*
le poulet	**das Hühnchen**	*dass Hu:nch☺'n*
le saumon	**der Lachs**	*dè:r lakss*
le thon	**der Thunfisch**	*dè:r tou:n-fich*

Légumes et accompagnements

les carottes	**die Karotten**	*di karot'n*
les champignons	**die Pilze**	*di piltssœ*
le concombre	**die Gurke**	*di gourkœ*
les poireaux	**der Lauch**	*dè:r laÔrH*

les pommes de terre	**die Kartoffeln**	*di kart**o**feln*
la salade	**der Salat**	*dè:r zal**a**:t*
les tomates	**die Tomaten**	*di tom**a**:t'n*
les pâtes	**die Pasta**	*di p**a**sta*
le riz	**der Reis**	*dè:r raïss*

Fruits

la banane(s)	**die Banane(n)**	*di ban**a**:nœ('n)*
les cerises	**die Kirschen**	*di k**i**rch'n*
le citron	**die Zitrone**	*di tssitr**ô**:nœ*
les fraises	**die Erdbeeren**	*di **é**rd-bé:r'n*
les framboises	**die Himbeeren**	*di Hi'mbé:r'n*
l'orange(s)	**die Orange(n)**	*di **o**rangœ('n)*
la poire(s)	**die Birne(n)**	*di b**i**rnœ(n)*
la pomme(s)	**der Apfel (Äpfel)**	*dè:r **a**pfel (èpfel)*

Et quoi d'autre ?

le fromage	**der Käse**	*dè:r k**è**:zœ*
le fromage blanc	**der Quark**	*dè:r kva:rk*
le chocolat	**die Schokolade**	*di chôkol**a**:dœ*
le gâteau	**der Kuchen**	*dè:r k**ou**:rH'n*
la glace	**das Eis**	*dass aïss*
l'huile/le vinaigre	**das Öl/der Essig**	*dass eu:l/de:r éssich☺*
la moutarde	**der Senf**	*dè:r zènf*
le poivre/le sel	**der Pfeffer/das Salz**	*dè:r pf**é**fᵉ/dass saltss*

La restauration rapide

Sauf pour la prononciation, les termes de fast-food sont les
mêmes en allemand qu'en français, comme **Hamburger**
[Ha'mbourgᵃ], **Hot-Dog** *[Hot dog]*, **Ketchup** *[kètch ap]*…

l'en-cas	**der Imbiss**	*dè:r **i**'mbiss*
le "petit sandwich"	**das belegte Brötchen**	*dass bél**é**:gtœ br**eu**:tch☺'n*
la pizza	**die Pizza**	*di p**i**tssa*
les frites	**die Pommes frites**	*di pomm frit's*
la saucisse au curry	**die Currywurst**	*di **k**euri-vourst*
la saucisse grillée	**die Bratwurst**	*di b**ra**:t-vourst*

Façons de préparer et sauces

aigre-doux	**süß-sauer**	*z**u**:ss-za**ô**ᵃ*
à point	**medium**	*m**é**:dio'm*
bien cuit	**gut durch**	*g**ou**:t d**ou**rch☺*
cru	**roh**	*rô:*
épicé	**gewürzt**	*gu**é**vurtsst*
frit	**frittiert**	*friti:rt*
fumé	**geräuchert**	*gu**é**reuch☺ᵃt*
gratiné	**überbacken**	***u**bᵃ-bak'n*
grillé	**gegrillt**	*gu**é**grilt*
piquant	**scharf**	*cha:rf*
rôti	**gebraten**	*gu**é**bra:t'n*
saignant	**englisch**	*ènglich*

la sauce	**die Soße**	*di s**ô**:ssœ*
~ à l'ail	**die Knoblauchsoße**	*di kn**ô**:blaôrH-sôssœ*
~ au chocolat	**die Schokoladensoße**	*di chokol**a**:d'n-sôssœ*
~ au citron	**die Zitronensoße**	*di tssitr**ô**:ne'n-sôssœ*
~ à la crème	**die Rahmsoße**	*di r**a**:m-sôssœ*
~ à la tomate	**die Tomatensoße**	*di tom**a**:t'n-sôssœ*
~ à la vanille	**die Vanillesoße**	*di van**i**lœ-sôssœ*
~ au vin blanc	**die Weißweinsoße**	*di v**aï**ss-va**ï**n-sôssœ*
~ au vin rouge	**die Rotweinsoße**	*di r**ô**:t-va**ï**n-sôssœ*
vapeur	**gedünstet**	*gu**é**du'nste't*

Boissons alcoolisées

Voici une liste des endroits où boire un pot voire grignoter un bout :

le bar	die Bar	di ba:r
le bar à bière / le "jardin à bière"	die Bierstube/ der Biergarten	di bi:r-chtou:bœ/ dè:r bi:r-gart'n
le bar à vin / la cave à vin	die Weinstube/ der Weinkeller	di vaïn-chtou:bœ/ dè:r vaïn-kèlª
le café/bistrot	die Kneipe	di knaïpœ

Blère

Vu la variété qui s'offrira à vous, vous n'aurez que l'embarras du choix entre une bière plutôt alcoolisée et riche en houblon comme la **Pils** [pilss], **das Weizenbier** [dass vaïtss'n-bi:r], blonde à base de froment servie dans un grand verre de 50 cl, des bières plus légères comme **das Alt** [dass alt] ou **das Kölsch** [dass keulch] pour ne citer que celles-ci. Vous pourrez déguster une de ces variétés dans un **Bierstube** ou un **Biergarten**, et bien évidemment lors de la *fête de la bière*, **Oktoberfest** [oktô:bª-fèst], *fête d'octobre*. Créée le 17 octobre 1810 à l'occasion du mariage du futur roi Louis Ier de Bavière, et contrairement à ce que laisserait supposer son nom, la fête de la bière se déroule de nos jours principalement en septembre puisqu'elle se termine le 1er week-end d'octobre.

La **Schorle** [chorlœ] est une boisson mélangée avec de l'eau minérale. Il existe différentes variétés. La **Weißweinschorle** [vaïss-vaïn-chorlœ] faite à base de vin blanc et la **Apfelschorle** [apfel-chorlœ] faite à base de pommes sont les plus fréquentes, mais le mélange peut aussi se faire avec du vin rouge ou d'autres jus.

Pourriez-vous nous apporter la carte des boissons s'il vous plaît ?

Könnten Sie uns bitte die Getränkekarte bringen ?

keunte'n zi: ounss bitœ di guétr(ènk)œ-kartœ br(ing)'n

(pourriez vous à-nous s'il-vous-plaît la boissons-carte apporter)

la bière	**das Bier**	*dass bi:r*
- à la pression	**- vom Fass**	*- fom fass*
doux	**lieblich**	*li:blich☺*
l'eau-de-vie	**der Schnaps**	*dè:r chnapss*
le mousseux	**der Sekt**	*dè:r zèkt*
le rosé	**der Rosé**	*dè:r rôzé*
le vin blanc	**der Weißwein**	*dè:r vaïss-vaïn*
le vin rouge	**der Rotwein**	*dè:r rô:t-vaïn*
sec	**herb**	*Hèrp*

Autres boissons

Si vous souhaitez boire un café, vous constaterez que certaines cartes vous proposent soit **eine Tasse** *[tassœ]*, *tasse*, soit **ein Kännchen Kaffee** *[kènch☺'n kafé]*, *petite cafetière.*

le chocolat chaud	**die heiße Schokolade**	*di Haïssœ chokola:dœ*
(avec chantilly)	**(mit Schlagsahne)**	*(mit chla:k-za:nœ)*
le cola	**die Cola**	*di ko:la*
l'eau	**das Wasser**	*dass vass*[a]
- gazeuse/plate	**- mit/ohne Kohlensäure**	*- mit/ô:nœ kô:l'n-zeurœ*
l'infusion	**der Kräutertee**	*dè:r kreut*[a]*-té:*
le jus d'orange/	**der Orangen-/**	*dè:r orang'n-/*
de pomme/de raisin	**Apfel-/Traubensaft**	*apfel-/ traôb'n-zaft*
la limonade	**die Limonade**	*di limona:dœ*
le thé	**der Tee**	*dè:r té:*

Quelques spécialités

Buttermilch *[bout^a-milch☺]* est un yaourt à boire, et parfois traduit en français par *lait de beurre* ou *babeurre*. **Ein Radler** *[ra:dl^a]*, est un panaché (se boit dans le sud) et **ein Spezi** *[chpé:tssi]* est un mélange de cola et de limonade.

Que souhaitez-vous boire ?
Was wünschen Sie (v.) zum Trinken?
vass vu'nch'n zi: tssoum tr(ink)'n
(que souhaitez vous pour-le boire)

Nous aimerions une limonade et une tasse de café.
Wir hätten gern eine Limonade und eine Tasse Kaffee.
vi:r Hèt'n guèrn aïnœ limona:dœ ount aïnœ tassœ kafé
(nous aurions volontiers une limonade et une tasse café)

↗ Achats et souvenirs

Magasins et services

Les horaires d'ouverture pour les magasins varient légèrement d'une région à l'autre. Généralement, les petits commerçants ouvrent de 8 h 30/9 h à 18 h 30 avec une pause de 12 h 30/13 h à 14 h/14 h 30. Les grands commerces et centres commerciaux ouvrent de 9 h/9 h 30 à 20 h du lundi au vendredi et 16 h/17 h le samedi. Soumise à une autre loi, les boulangeries sont autorisées à ouvrir à partir de 5 h 30.

l'agence de voyages	**das Reisebüro**	*dass raïzœ-burô*
la banque	**die Bank**	*di b(ank)*

la boucherie	die Fleischerei	di flaïcheraï
la boulangerie	die Bäckerei	di bèkeraï
le centre commercial	das Einkaufszentrum	dass **aïn**kâofs-tssèntroum
la charcuterie	die Metzgerei	di mètssgueraï
le coiffeur	der Friseur	dè:r friz**eu**:r
le cordonnier	der Schuster	dè:r ch**ou**:stᵃ
le fleuriste	das Blumengeschäft	dass bl**ou**:me'n-guéchèft
le kiosque	der Kiosk	dè:r kiosk
la laverie automatique	der Waschsalon	dè:r vach-zalon
la librairie	die Buchhandlung	di b**ou**:rH-Ha'ndl(oung)
le magasin de chaussures	das Schuhgeschäft	dass ch**ou**:-guéchèft
le magasin de jouets	das Spielwarengeschäft	dass chp**i**:l-va:r'n-guéchèft
le magasin de musique	das Musikgeschäft	dass mouz**i**:k-guéchèft
le magasin de sport	das Sportgeschäft	dass chp**o**rt-guéchèft
le magasin de souvenirs	das Souvenirgeschäft	dass souvenir-guéchèft
le magasin de vêtements	das Modegeschäft	dass m**ô**:dœ-guéchèft
le marché	der Markt	dè:r markt
l'opticien	der Optiker	dè:r **o**ptikᵃ
la papeterie	das Schreibwarengeschäft	dass chr**aï**b-va:r'n-guéchèft
la parfumerie	die Parfumerie	di parfumeri:
la pâtisserie	die Konditorei	di ko'nditoraï
le supermarché	der Supermarkt	dè:r z**ou**:pᵃ-markt
la teinturerie	die Reinigung	di r**aï**nig(oung)

Auriez-vous quelque chose de… ?	Hätten Sie etwas…?	Hèt'n zi: **è**tvass
meilleur marché	Billigeres	b**i**ligueress
plus grand	Größeres	gr**eu**:sseress
plus petit	Kleineres	kl**aï**neress
plus moderne	Moderneres	mod**è**rneress
plus classique	Klassischeres	kl**a**ssicheress

Je ne fais que regarder.
Ich schaue mich nur um.
ich☺ chaôœ mich☺ nour oum
(je regarde me seulement autour)

Combien coûte ceci ?
Wie viel kostet das?
vi fi:l koste't dass
(comment beaucoup coûte ça)

Ce n'est pas ce que je recherche.
Das ist nicht, das was ich suche.
dass ist nich☺t dass vass ich☺ zou:rHœ
(ça est pas ça que je cherche)

Non merci, ce sera tout.
Nein danke, das wär's.
*naïn d(**ank**)œ dass vè:r'ss*
(non merci ça serait'ce)

Puis-je payer par carte de crédit ?
Kann ich mit Kreditkarte bezahlen?
*ka'n ich☺ mit kr**é**di't-kartœ bétss**a**:l'n*
(peux je avec crédit-carte payer)

Je le prends.
Das nehme ich.
*dass n**é**:mœ Ich☺*
(ça prends je)

Livres, revues, journaux, papeterie, musique...

Je voudrais...	**Ich hätte gern...**	*ich☺ Hòtœ guòrn*
un bloc de papier.	**einen Papierblock.**	*aïnœ'n papi:r-blok*
des cartes postales.	**Postkarten.**	*post-kart'n*

de la colle.	Kleber.	klé:bª
des crayons de couleur.	Buntstifte.	bount-chtiftœ
un crayon à papier.	einen Bleistift(e).	aïne'n blaï-chtift(œ)
un dictionnaire allemand-français.	ein Wörterbuch Deutsch-Französisch.	aïn veurtª-bou:rH doïtch-fra'ntsseu:zich
un dictionnaire de poche.	ein Taschenwörterbuch.	aïn tach'n-veurtª- bou:rH
des enveloppes.	Briefumschläge.	bri:f-oumchlè:guœ
un journal français.	eine französische Zeitung.	aïnœ fra'ntsseu:zichœ tssaït(oung)
une revue française.	eine französische Zeitschrift.	aïnœ fra'ntsseu:zichœ tssaïtchrift

Chez le disquaire

Célèbres pour la musique classique, l'Allemagne et l'Autriche se distinguent aussi dans d'autres genres musicaux.

chansons	Lieder	li:dª
jazz	Jazz	djèzz
musique classique	klassische Musik	klassichœ mouzi:k
musique folklorique	Volksmusik	folks-mouzi:k
pop/rock	Pop/Rock	pop/rock
techno	Techno	tèknô
variété	Schlagermusik	chla:guª-mouzi:k

Connaissez-vous un magasin de disques ?
Kennen Sie (v.) ein Plattengeschäft?
kène'n zi: aïn plat'n-guéchèft
(connaissez vous un disques-magasin)

J'aimerais un CD de...
Ich hätte gern eine CD von...
ich☺ Hètœ guèrn aïnœ tssé-dé fo'n
(j'aurais volontiers un CD de ...)

Blanchisserie-teinturerie

C'est à...	Das ist...	dass ist
laver.	**zum Waschen.**	*tssoum vach'n*
nettoyer.	**zum Reinigen.**	*tssoum raïnig'n*
repasser.	**zum Bügeln.**	*tssoum bu:geln*

Pour quand pouvez-vous le faire ?
Für wann können Sie (v.) es machen?
fu:r va'n keune'n zi: èss marH'n

Pouvez-vous enlever ces taches ?
Kann man diese Flecken entfernen?
ka'n ma'n di:zœ flèk'n èntfèrne'n
(peut on ces taches éloigner)

Vêtements et chaussures

Attention, les tailles de vêtements en France ne correspondent pas à celles en Allemagne ou en Autriche. Un 38 français correspond à un 36 allemand ou autrichien, un 40 français à un 38 allemand etc.

J'aimerais quelque chose dans ce genre, s'il vous plaît.
Ich hätte gern etwas in der Art bitte.
ich☺ Hètœ guèrn ètvass i'n dè:r a:rt bitœ
(j'aurais volontiers quelque-chose dans le genre s'il-vous-plaît)

Je fais un 38.
Ich habe Größe 38.
ich☺ Ha:bœ greu:ssœ 38

Puis-je l'essayer ?
Kann ich es anprobieren?
ka'n ich☺ èss a'n-probi:r'n
(peux je ça essayer)

Où est la cabine d'essayage ?

Wo ist die Umkleidekabine?

*vô: ist di **ou**m-klaïdœ-kabi:nœ*

(où est la change-cabine)

J'aimerais une taille au-dessus/en dessous.

Ich möchte eine Größe drüber/drunter.

*ich☺ m**eu**ch☺tœ a**ï**nœ gr**eu**:ssœ dru:bᵃ/dr**ou**'nt ᵃ*

Vêtements et accessoires

le bonnet	**die Mütze**	*di m**u**tssœ*
les boutons	**die Knöpfe**	*di kn**eu**pfœ*
la casquette	**die Kappe**	*di kapœ*
la ceinture	**der Gürtel**	*dè:r gurtel*
le chapeau	**der Hut**	*dè:r Hou:t*
les chaussettes	**die Kniestrümpfe**	*di kni:-chtru'mpfœ*
la chemise	**das Hemd**	*dass Hèmt*
la chemise de nuit	**das Nachthemd**	*dass narHt-Hèmt*
le chemisier	**die Bluse**	*di bl**ou**:zœ*
le collant	**die Strumpfhose**	*di chtr**ou**mpf-Hô:zœ*
le costume	**der Anzug**	*dè:r **a**'ntssou:k*
la cravate	**die Kravatte**	*di kravatœ*
la culotte/le slip	**die Unterhose**	*di **ou**ntᵃ-Hô:zœ*
le foulard	**der Schal**	*dè:r cha:l*
les gants	**die Handschuhe**	*di Ha'nd-chou:œ*
l'imperméable	**der Regenmantel**	*dè:r r**é**:g'n-ma'ntel*
la jupe	**der Rock**	*dè:r rok*
le maillot de bain	**der Badeanzug**	*dè:r b**a**:dœ-a'ntssou:k*
le manteau	**der Mantel**	*dè:r ma'ntel*
le pantalon	**die Hose**	*di Hô:zœ*
le porte-monnaie	**der Geldbeutel**	*dè:r gu**è**ld-beutel*

le pull	der Pulli	dè:r p**ou**li
le pyjama	der Schlafanzug	dè:r chl**a**:f-a'ntssou:k
la robe	das Kleid	dass klaït
la robe de chambre	der Morgenmantel	dè:r m**o**:rg'n-ma'ntel
le sac à main	die Handtasche	di H**a**'nd-tachœ
le short	die Shorts	di chorts
le soutien-gorge	der Büstenhalter	dè:r b**u**st'n-Halt^a
le survêtement	der Trainingsanzug	dè:r tr**è**:n(ing)s-a'ntssou:k

Chaussures

les bottes (en caoutchouc)	die Stiefel (Gummi-)	di chti:fel (g**ou**mi-)
les bottines	die Stiefeletten	di chti:felèt'n
les chaussons	die Hausschuhe	di Ha**ô**ss-chou:œ
les chaussures	die Schuhe	di ch**ou**:œ
les sandales	die Sandalen	di z**a**'nda:l'n
les tongues	die Schläppchen	di chl**è**pch☺'n

J'aimerais essayer cette paire de chaussures.
Ich würde gern dieses Paar Schuhe anprobieren.
ich☺ v**u**rdœ gu**è**rn di:zess pa:r ch**ou**:œ **a**'n-probi:r'n
(j'aurais volontiers cette paire chaussures essayer)

Elles sont trop étroites/larges.
Die sind zu eng/breit.
di zi'nt tssou (**è**ng)/braït
(les sont trop étroites/larges)

C'est un peu grand/petit.
Es ist ein bisschen groß/klein.
èss ist aïn b**i**ssch☺'n grô:ss/klaïn

En quelle couleur ?
In welcher Farbe ?
i'n v**è**lch☺^a f**a**:rbœ

Couleurs

beige	**beige**	*bé:ge*
blanc	**weiß**	*vaïss*
bleu/bleu marine	**blau/dunkelblau**	*blaô/d(ounk)el-blâo*
clair/foncé	**hell/dunkel**	*Hèl/d(ounk)el*
jaune	**gelb**	*guèlb*
marron	**braun**	*braôn*
noir	**schwarz**	*chvartss*
rose	**rosa**	*rô:za*
rouge	**rot**	*rô:t*
uni/rayé	**einfarbig/gestreift**	*aïn-farbich☺/guèchtraift*
vert	**grün**	*gru:n*
violet	**lila**	*li:la*

Si vous avez besoin de faire réparer vos chaussures

Je cherche un cordonnier.
Ich suche einen Schuster.
ich☺ zou:rHœ aïne'n chou:st [a]

Pouvez-vous le réparer ?
Können Sie (v.) es reparieren?
keune'n zi: èss répari:r'n

Bureau de tabac

En Autriche, vous trouverez des bureaux de tabac, en Allemagne par contre la vente de cigarettes se fait dans les supermarchés, les kiosques, stations-service et par l'intermédiare de distributeurs automatiques.

avec/sans filtre	**mit/ohne Filter**	*mit/ô:nœ filt* [a]
le briquet	**das Feuerzeug**	*dass foï* [a] *-tssoïg*
le bureau de tabac	**der Tabakladen**	*dè:r tabak-la:d'n*
le cigare	**die Zigare(n)**	*di tssigarœ('n)*

la (les) cigarette(s)	die Zigarette(n)	di tssigarètœ('n)
le paquet	die Schachtel	di charHtel
le tabac	der Tabak	dè:r tabak

Quelques phrases utiles pour les fumeurs

Où puis-je acheter des cigarettes ?
Wo kann ich Zigaretten kaufen?
vô: ka'n ich☺ tssigaròt'n kaôf'n

(où peux je cigarettes acheter)

As-tu du feu ?
Hast Du Feuer?
Hast dou: foï[a]

(as tu feu)

Interdit de fumer !
Rauchen verboten!
raôrH'n fèrbô:t'n

(fumer interdit)

Photo

l'appareil photo	der Fotoapparat	dè:r fô:tô-apara:t
l'appareil photo numérique	die Digitalkamera	di diguita:l-kaméra
brillant/mat	Hochglanz/matt	Hô:rH-gla'ntss/mat
la carte mémoire	die Speicherkarte	di chpaïch☺[a]-kartœ
le film	der Film	dè:r film
le flash	der Blitz	dè:r blitss
le format	das Format	dass forma:t
le négatif	das Negativ	dass négati:f
la photo	das Foto(s)	dass fô:tô(ss)
la pile	die Batterie	di bateri;
la (les) pose(s)	die Aufnahme(n)	di aôfna:mœ('n)
le(s) tirage(s)	der Abzug (Abzüge)	dò:r ap tsoou:k (ap-tssu:guœ)

Combien coûte le développement ?
Wie viel kostet es zum Entwickeln?
vi fi:l koste't èss tssoum èntvikeln
(comment beaucoup coûte ça pour-le développement)

Combien de temps vous faut-il ?
Wie lange brauchen Sie (v.) dafür?
vi l(ang)œ braôrH'n zi: da-fu:r
(comment longtemps nécessitez vous là-pour)

J'aimerais des photos en couleur/en noir et blanc.
Ich möchte Farbfotos/Schwarzweißfotos.
ich☺ meuch☺tœ fa:rb-fô:tôss/chvartss-vaïss-fô:tôss
(j'aimerais couleurs-photos/noir-blanc-photos)

Provisions

Si, dans une supérette, vous ne trouvez pas le rayon recherché, voici quelques phrases pour vous dépanner.

Excusez-moi, où se trouve le rayon…
Entschuldigung, wo ist die Abteilung…
èntchouldig(oung) vô: ist di abtaïl(oung)
(pardon où est le rayon…)

Y a-t-il des paquets plus petits/plus grands ?
Gibt es kleinere/größere Packungen?
guibt èss klaïnerœ/greu:sserœ pak(oung)'n
(donne il plus-petits/plus-grands paquets)

Avez-vous des petites bouteilles ?

Haben (v.) Sie kleine Flaschen?

Ha:b'n zi: klaïnœ flach'n

(avez vous petites bouteilles)

J'aimerais une livre/un kilo de…

Ich hätte gern ein Pfund/ein Kilo…

ich☺ Hètœ guèrn aïn pfount/aïn ki:lô

(j'aurais volontiers une livre/un kilo…)

Accessoires et divers produits de toilette

la brosse	die Bürste	di burstœ
la brosse à dents	die Zahnbürste	di tssa:n-burstœ
la brosse à ongles	die Nagelbürste	di na:guel-burstœ
les ciseaux à ongles	die Nagelschere	di na:guel-ché:rœ
le coton	die Watte	di vatœ
la crème pour les mains/pieds	die Hand-/Fußkreme	di Ha'nd-/fou:ss-kré:mœ
la crème solaire	die Sonnenkreme	di zone'n-kré:mœ
la crème pour le visage	die Gesichtskreme	di guézich☺ts-kré:mœ
le dentifrice	die Zahnpasta	di tssa:n-pasta
le dissolvant	der Nagellackentferner	dè:r na:guel-lak-èntfèrnᵃ
les élastiques/barrettes	die Haargummis/Haarspangen	di Ha:r-goumiss/Ha:r-chp(ang)'n
le fard	die Schminke	di chm(ink)œ
le lait démaquillant	die Gesichtsmilch	di guézich☺ts-milch☺
les lames de rasoir	die Rasierklingen	di razi:r-kl(ing)'n
la lime à ongles	die Nagelfeile	di na:guel-faïlœ
la lotion après-rasage	das Rasierwasser	dass razi:r-vassᵃ
la lotion pour le visage	das Gesichtswasser	dass guézich☺ts-vassᵃ

les mouchoirs en papier	die Papiertaschentücher	di papi:r-tach'ntu:ch[a]
la mousse à raser	der Rasierschaum	dè:r razi:r-chaôm
le papier hygiénique	das Klopapier	dass klô:-papi:r
le peigne	der Kamm	dè:r ka'm
la pince à épiler	die Pinzette	di pi'ntssètœ
le savon	die Seife	di zaïfœ
les serviettes hygiéniques/tampons	die Binden/ Tampons	di bi'nd'n/ ta'mp(ong)ss
le shampooing	das Shampoo	dass cha'mpou

Produits d'entretien et autres

les allumettes	die Streichhölzer	di chtraïch☺-Heulz[a]
le balai	der Besen	dè:r bé:z'n
la (les) bougie(s)	die Kerze(n)	di kèrtssœ('n)
l'éponge	der Schwamm	dè:r chvam
la lessive	das Waschpulver	dass vach-poulv[a]
le liquide vaisselle	das Spülmittel	dass chpu:l-mitel
le papier d'aluminium	die Alufolie	di alou-fô:liœ
les serviettes en papier	die Papierservietten	di papi:r-zèrvièt'n
les aliments pour animaux	das Tierfutter	dass ti:rfout[a]

Souvenirs

Parmi les souvenirs à rapporter, on pensera, entre autres, aux horloges et coucous, à la porcelaine, à la broderie, aux cuirs et aux jouets. Au rayon vestimentaire, c'est le paradis des amateurs de loden. Et enfin, ceux qui recherchent une chaussure plutôt confortable qu'esthétique n'hésiteront pas à acheter une paire de **Birkenstock**.

la broderie	die Stickerei	di chtikeraï
le coucou	die Kuckucksuhr	di koukouks-ou:r
la culotte de cuir	die Lederhose	di lé:dª-Hô:zœ
l'horloge	die Standuhr	di chta'nd-ou:r
les jouets	die Spielwaren	di chpi:l-va:r'n
le manteau de loden / la veste de loden	der Lodenmantel/ die Lodenjacke	dè:r lô:d'n-ma'ntel/ di lô:d'n-yakœ
la porcelaine	das Porzelan	dass portssela:n
la robe tablier	das Dirndelkleid	dass dirndel-klaït

↗ Rendez-vous professionnels

Fixer un rendez-vous

Pouvons-nous fixer un rendez-vous ?
Können wir einen Termin festlegen?
keune'n vi:r aïne'n tèrmi:n fèst-lé:g'n
(pouvons nous un rendez-vous fixer)

J'aimerais prendre un rendez-vous avec Mme Schmitt.
Ich hätte gern einen Termin mit Frau Schmitt.
ich☺ Hètœ guèrn aïne'n tèrmi:n mit fraô chmit
(j'aurais volontiers un rendez-vous avec madame Schmitt)

Lundi 10 heures, je ne peux malheureusement pas.
Montag zehn Uhr kann ich leider nicht.
mô:nta:k tssé:n ou:r ka'n ich☺ laïdª nich☺t
(lundi dix heures peux je malheureusement pas)

Est-ce possible un peu plus tard/tôt ?
Ist es möglich ein bisschen spater/früher?
ist èss meu:glich☺ aïn bissch☺'n chpè:tª/fru:ª
(est ce possible un peu plus-tard/plus-tôt)

11 heures, c'est parfait.
11 Uhr ist perfekt.
èlf ou:r ist pèrfèkt
(onze heures est parfait)

Puis-je vous confirmer notre rendez-vous cet après-midi ?
Kann ich Ihnen unseren Termin heute Nachmittag bestätigen?
ka'n ich☺ i:ne'n ounzer'n tèrmi:n Hoïtœ narH-mita:k béchtètig'n
(peux je à-vous notre rendez-vous aujourd'hui après-midi confirmer)

Je dois malheureusement annuler/repousser le rendez-vous.
Leider muss ich den Termin absagen/verschieben.
laïdᵃ mouss ich☺ dé:n tèrmi:n ap-za:g'n/fèr-chi:b'n
(malheureusement dois je le rendez-vous annuler/repousser)

Visiter l'entreprise

l'entreprise	**das Unternehmen**	*dass ount{}^ané:m'n*
la firme	**die Firma**	*di firma*
le service	**die Abteilung(en)**	*di abtaïl(oung)(en)*
- comptabilité	**- Buchhaltung**	*- bou:rH-Halt(oung)*
- développement	**- Entwicklung**	*- èntvikl(oung)*
- finances	**- Finanzen**	*- fina'ntss'n*
- informatique	**- Informatik**	*- i'nforma:tik*
- marketing	**- Marketing**	*- marketing*
- import/export	**- Import/Export**	*- i'mport/expor't*
- production	**- Produktion**	*- prodouktsio:n*
la société	**die Gesellschaft**	*di guézèlchaft*
- société mère/	**- Muttergesellschaft/**	*- moutᵃ-guézèlchaft/*
filiale	**Tochtergesellschaft**	*torHtᵃ-guézèlchaft*
l'usine	**die Fabrik**	*di fabrik*

l'acheteur	**der Einkäufer(-)**	*dè:r aïn-keufᵃ(-)*
l'assistant(e)	**der Assistent(in)**	*dè:r assistènt(i'n)*
le chef d'entreprise	**der Geschäftsleiter**	*dè:r guéchèfts-laïtᵃ*

le chef de service	der Abteilungsleiter	dè:r **a**btaïl(oung)s-laïtª
le client	der Kunde(n)	dè:r **ko**undœ('n)
l'employé	der Angestellte(n)	dè:r **a**'nguéchtèltœ('n)
le technicien	der Techniker(-)	dè:r **tè**ch☺nikª
le vendeur	der Verkäufer(-)	dè:r fèr-**keu**fª

Vocabulaire de l'entreprise

Nous avons fait...	Wir haben... gemacht.	vi:r **Ha**:b'n... gué**ma**rHt
un bénéfice de...	einen Gewinn von...	**aï**ne'n gué**vi**'n fo'n
un chiffre d'affaires de...	einen Umsatz von...	**aï**no'n **ou**mzatɔɔ fo'n
une perte de...	einen Verlust von...	**aï**ne'n fèr**lou**st fo'n

Nous produisons en moyenne cinq machines par mois.

Wir produzieren im Schnitt fünf Maschinen pro Monat.

vi:r prodoutss**i**:r'n im chnit fu'nf mach**i**:ne'n prô m**ô**:nat

(nous produisons dans-le moyenne cinq machines par mois)

La production a augmenté/baissé de 10 %.

Die Produktion ist um zehn Prozent gestiegen/gesunken.

di prodoukts**io**:n isst oum tss**é**:n protssènt gu**é**chti:g'n/gu**é**z(ounk)'n

(la production est de 10 % montée/coulée)

La marchandise doit être livrée cette semaine.

Die Ware muß diese Woche geliefert werden.

di **va**:rœ mouss **di**:zœ vor**H**œ gu**é**li:fªt vèrd'n

(la marchandise doit cette semaine livrée devenir)

Le client n'a pas reçu sa livraison.

Der Kunde hat die Lieferung nicht bekommen.

dè:r **ko**undœ Hat di **li**:fer(oung) nich☺t bé**ko**me'n

(le client a la livraison pas reçu)

La firme exporte ses produits dans toute l'Europe.
Die Firma exportiert ihre Produkte in ganz Europa.
di firma exporti:rt i:rœ prodouktœ i'n ga'ntss **oïrô:**pa
(la firme exporte ses produits dans entier Europe)

Nous importons beaucoup du Brésil.
Wir importieren viel aus Brasilien.
vi:r i'mporti:r'n fi:l **aô**ss *brazi:lie'n*
(nous importons beaucoup de Brésil)

Installation des locaux

l'armoire	**der Schrank**	*dé:r chr(ank)*
le bureau	**der Schreibtisch**	*dé:r chraïb-tich*
la chaise	**der Stuhl**	*dé:r chtou:l*
le fax (appareil)	**das Faxgerät**	*dass fax-guérè:t*
la machine à café	**die Kaffeemaschine**	*di kafé-machi:nœ*
le papier	**das Papier**	*dass papi:r*

Informatique

l'adresse e-mail	**die Email Adresse**	*di imail adrèssœ*
arobase	**at**	*èt*
la boîte mail	**die Mailbox**	*di mail-box*
le clavier	**das Keybord**	*dass ki:bor't*
la connexion	**die Verbindung**	*di fèrbi'nd(oung)*
le document	**das Dokument**	*dass dokoumènt*
l'écran	**der Bildschirm**	*dè:r bild-chirm*
le fichier	**die Datei**	*di dataï*
l'imprimante	**der Drucker**	*dè:r drouk[a]*

l'informatique	die Informatik	di i'nforma:tik
Internet	Internet	i'ntèrnèt
l'e-mail	die Mail	di mail
le mot de passe	das Kennwort	dass kèn-vort
l'ordinateur	der Computer	dè:r ko'mpiout[a]
l'ordinateur portable	der Laptop	dè:r lèptop
le PC	der PC	dè:r pé-tsé
le point	der Punkt	dè:r p(ounk)t
le programme	das Programm(e)	dass program(œ)
le site Internet	die Website	di wèpssaït
la souris	die Maus	di maôss
le tapis de souris	die Mauspad	di maôss-pèd
le trait d'union	der Bindestrich	dè:r bi'ndœ-chtrich☺

Salons et expositions

Fondée en 1165, la foire de Leipzig est la plus ancienne du monde. Elle fait partie des foires internationales les plus importantes et a lieu tous les ans, au printemps et en automne.

le catalogue	der Katalog	dè:r katalô:k
l'exposant	der Aussteller(-)	dè:r aôsschtèl[a]
l'exposition	die Ausstellung	di aôss-chtèl(oung)
le hall	die Halle(n)	di Halœ('n)
le salon	die Messe	di mèssœ
le stand	der Stand (Stände)	dè:r chta'nt (chtèndœ)
le stand d'information	der Informationsstand	dè:r l'informatsionœ chta'nt
les visiteurs	die Besucher	di bézou:rH[a]

Le salon a lieu du 5 au 9 mai.

Die Messe findet vom fünften bis zum neunten Mai statt.

di mèssœ fi'nde't fom fu'nft'n biss tssoum noïnt'n maï chtat

(le salon trouve du 5 au 9 mai lieu)

Nous avons beaucoup/peu de commandes.

Wir haben viele/wenige Bestellungen.

vi:r Ha:b'n fi:lœ/vé:niguœ béchtèl(oung)'n

(nous avons beaucoup/peu commandes)

↗ Santé

Chez le médecin et aux urgences

Y a-t-il un médecin qui parle français ?

Gibt es einen Arzt, der Französisch kann?

guibt èss aïne'n artsst dè:r fra'ntsseu:zich ka'n

(donne il un médecin qui français peut)

Quels sont ses jours de consultation ?

Wann hat er Sprechstunde?

va'n Hat è:r chprèch☺-chtoundœ

(quand a-t-il parler-heure)

J'ai mal ici.

Hier tut es weh.

Hi:r tou:t èss vé:

(ici fait ça mal)

J'ai mal depuis deux jours.
Ich habe seit zwei Tagen Schmerzen.
ich☺ Ha:bœ zaït tssvaï ta:g'n chmèrtss'n
(j'ai depuis deux jours douleurs)

Je suis diabétique/cardiaque/enceinte.
Ich bin Diabetiker(in)/Herzkrank/schwanger.
ich☺ bi'n diabé:tik^a(i'n)/Hèrtss-kr(ank)/chv(ang)^a
(je suis diabétique/cœur-malade/enceinte)

En cas d'urgence

J'ai besoin d'un médecin, vite !
Schnell! Ich brauche einen Arzt!
chnèl ich☺ braôrHœ aïne'n artsst
(vite je nécessite un médecin)

Il faut que j'aille aux urgences !
Ich muss zur Notaufnahme!
ich☺ mouss tssour no:t-aôfna:mœ
(je dois aux urgences)

Où est l'hôpital le plus proche ?
Wo ist das nächste Krankenhaus?
vô: ist dass nèkstœ kr(ank)'n-Haôss
(où est la plus-proche malades-maison)

C'est urgent ! Je suis blessé.
Das ist dringend ! Ich bin verletzt.
dass ist dr(ing)e'nt ich☺ hi'n fèrlètsst
(c'est urgent je suis blessé)

Symptômes

Je ne peux pas bouger.
Ich kann mich nicht bewegen.
*ich☺ ka'n mich☺ nich☺t bév**é**:g'n*
(je peux me pas bouger)

J'ai envie de vomir.
Ich möchte spucken.
*ich☺ m**eu**cht**œ** chp**ou**k'n*
(je voudrais cracher)

Je tousse beaucoup.
Ich huste viel.
*ich☺ H**ou**st**œ** fi:l*
(je tousse beaucoup)

Je saigne.
Ich blute.
*ich☺ bl**ou**:t**œ***

Je suis constipé.
Ich bin verstopft.
*ich☺ bi'n fèrcht**o**pft*

J'ai...	Ich habe...	*ich☺ H**a**:b**œ***
des convulsions.	**Konvulsionen.**	*k**o**'nvoulssiône'n*
un coup de soleil.	**einen Sonnenbrand.**	***aï**ne'n z**o**ne'n-bra'nt*
des crampes.	**Krämpfe.**	*kr**è**'mpf**œ***
la diarrhée.	**Durchfall.**	*d**ou**rch☺fal*
des étourdissements.	**Schwindelanfälle.**	*chvi'ndel-a'nfèl**œ***
de la fièvre.	**Fieber.**	*fi:b[a]*
des frissons.	**Schüttelfrost.**	*chutel-frost*

Douleurs et parties du corps

J'ai...	Ich habe...	*ich☺ H**a**:b**œ***
mal au dos.	**Rückenschmerzen.**	*ruk'n-chm**è**rtss'n*
mal à l'estomac.	**Magenschmerzen.**	*ma:g'n-chm**è**rtss'n*
mal à la gorge.	**Halsschmerzen.**	*Halss-chm**è**rtss'n*
mal aux oreilles.	**Ohrenschmerzen.**	***o**:r'n-chm**è**rtss'n*

| mal à la tête. | Kopfschmerzen. | *kopf-chmèrtss'n* |
| mal au ventre. | Bauchschmerzen. | *baôrH-chmèrtss'n* |

Parties du corps

les amygdales	**die Mandeln**	*di ma'ndeln*
l'appendice	**der Blinddarm**	*dè:r bli'nd-darm*
les articulations	**die Gelenke**	*di guél(ènk)œ*
la bouche	**der Mund**	*dè:r mount*
le bras	**der Arm(e)**	*dè:r arm(œ)*
le cœur	**das Herz**	*dass l lèrtss*
la colonne vertébrale	**die Wirbelsäule**	*di virbel-zeulœ*
la (les) côte(s)	**die Rippe(n)**	*di ripœ('n)*
le cou	**der Nacken**	*dè:r nak'n*
le(s) doigt(s)	**der/die Finger(-)**	*dè:r/di f(ing)ª(-)*
le dos	**der Rücken**	*dè:r ruk'n*
l'épaule	**die Schulter(n)**	*di choultª(n)*
l'estomac	**der Magen**	*dè:r ma:g'n*
le foie	**die Leber**	*di lé:bª*
la gorge	**der Hals**	*dè:r Halss*
la hanche	**die Hüfte(n)**	*di Huftœ('n)*
l'intestin	**der Darm**	*dè:r darm*
la jambe	**das Bein(e)**	*dass baïn(œ)*
lu main	**die Hand (Hände)**	*di Ha'nt (Hèndœ)*
le muscle	**der Muskel(n)**	*dè:r mouskel(n)*
le nerf	**der Nerf(en)**	*dè:r nèrf('n)*
le nez	**die Nase**	*di na:zœ*
l'œil (yeux)	**das Auge(n)**	*dass aôguœ('n)*
l'oreille	**das Ohr(en)**	*dass ô:r('n)*
l'os	**der Knochen(-)**	*dè:r knorH'n(-)*
la peau	**die Haut**	*di Haôt*

le(s) pied(s)	der/die Fuß (Füße)	dè:r/di **fou**:ss/Fü:ssœ
la poitrine	die Brust	di broust
le poumon	die Lunge(n)	di l(**oun**g)œ('n)
les reins	die Nieren	di ni:rœ'n
la tête	der Kopf	dè:r kopf
le ventre	der Bauch	dè:r baôrH
la vessie	die Blase	di bl**a**:zœ

Santé de la femme

la contraception	die Verhütung	di fèr**Hu**:t(oung)
le gynécologue	der Frauenarzt	dè:r fraôe'n-artsst
l' (les) ovaire(s)	der/die Eierstock (-stöcke)	dè:r/di **aï**[a]-chtok (-chteukœ)
la pilule	die Pille	di pilœ
les règles	die Regel	di r**é**:guel
l'utérus	die Gebärmutter	di guéb**è**:r-mout[e]
le vagin	die Vagina	di vagui:na
la ménopause	die Wechseljahre	di v**è**kssel-ya:rœ

Je suis dans le sixième mois.
Ich bin im sechsten Monat.
ich☺ bi'n im z**è**ksst'n m**ô**:nat
(je suis dans-le sixième mois)

Je prends la pilule.
Ich nehme die Pille.
ich☺ n**é**:mœ di pilœ

Je n'ai pas eu mes dernières règles.
Ich habe meine letzte Regel nicht bekommen.
ich☺ **Ha**:bœ ma**ï**nœ l**è**tsstœ r**é**:guel nich☺t bék**o**me'n
(j'ai mes dernières règles pas reçu)

Soins médicaux

Ce n'est rien.
Es ist nicht schlimm.
èss ist nich☺t chlim
(c'est pas grave)

Voici l'ordonnance.
Hier ist das Rezept.
Hi:r ist dass rétssèpt
(ici est l'ordonnance)

Il vous faut garder le lit pendant deux jours.
Sie (v.) müssen zwei Tage im Bett liegen.
zi: muss'n tssvaï ta:guœ i'm bèt li:g'n
(vous devez deux jours dans-le lit être-allongé)

Je vais vous prescrire un antibiotique/des médicaments.
Ich werde Ihnen (v.) ein Antibiotikum/Medikamente verschreiben.
ich☺ vèrdœ i:ne'n aïn a'ntibiotikoum/médikamèntœ fèrchraïb'n
(je deviens à-vous un antibiotique/médicaments prescrire)

Vous devez aller à l'hôpital.
Sie (v.) müssen ins Krankenhaus gehen.
zi: muss'n i'nss kr(ank)'n-Haôss gué:e'n
(vous devez dans la malades-maison aller)

Diagnostic

Vous avez...	**Sie haben...**	*zi: Ha:b'n*
une angine.	**eine Angina.**	*aïnœ (ang)i:na*
de l'arthrite.	**Arthritis.**	*artritiss*
de l'asthme.	**Asthma.**	*assma*
une déchirure musculaire.	**einen Muskelriss.**	*aïne'n mouskel-riss*
un déboîtement.	**eine Verrenkung.**	*aïnœ fèr(ènk)(oung)*
une foulure.	**eine Verstauchung.**	*aïnœ fèrchtaôrH(oung)*

une fracture.	einen Knochenbruch.	aïne'n knorH'n-brourH
la grippe.	die Grippe.	di gripœ
des hémorroïdes.	Hämorrhoiden.	Hèmoroïd'n
une hernie.	einen Bruch.	aïne'n brourH
une indigestion.	eine Magenverstimmung.	aïnœ ma:g'n-fèrchtim(oung)
une infection.	eine Infektion.	aïnœ i'nfèktsiô:n
une inflammation.	eine Entzündung.	aïnœ èntssu'nd(oung)
une insolation.	einen Sonnenstich.	aïne'n zone'n-chtich☺
une intoxication alimentaire.	eine Lebensmittelvergiftung.	aïnœ lé:be'ns-mitel-fèrguift(oung)
une pneumonie.	eine Lungenentzündung.	aïnœ l(oung)'n-èntssu'nd(oung)
des rhumatismes.	Rheumatismus.	roïmatismouss
le rhume des foins.	Heuschnupfen.	Hoï-chnoupf'n
un torticolis.	einen steifen Hals.	aïne'n chtaïf'n Halss
un ulcère.	ein Magengeschwür.	aïn ma:g'n-guéchvu:r
un virus.	einen Virus.	aïne'n vi:rouss

Chez le dentiste

l'abcès	der Abszess	dè:r abstssèss
la carie(s)	die Karies(-)	di ka:rièss(-)
la dent(s)	der Zahn (Zähne)	dè:r tssa:n (tssè:nœ)
le dentiste	der Zahnarzt	dè:r tssa:n-artsst
la molaire	der Backenzahn	dè:r bak'n-tssa:n
le plombage(s)	die Plombe(n)	di plo'mbœ('n)

Où puis-je trouver un dentiste ?
Wo kann ich einen Zahnarzt finden?

vô: ka'n ich☺ aïne'n tssa:n-artsst fi'nd'n

(où peux je un dentiste trouver)

Cette dent me fait mal.
Dieser Zahn tut mir weh.
di:zª tssa:n tou:t mi:r vé:
(cette dent fait à-moi mal)

J'ai perdu un plombage.
Ich habe eine Plombe verloren.
ich☺ Ha:bœ aïnœ plo'mbœ fèrlô:r'n
(j'ai un plombage perdu)

Chez l'opticien

les lentilles de contact *- dures/souples*	**die Kontaktlinsen** **- harte/weiche**	*di ko'ntakt-li'nz'n* *- Hartœ/vaïch☺œ*
les lunettes (de soleil)	**die Brille (Sonnen-)**	*di brilœ*
le verre	**das Glas (Gläser)**	*dass gla:ss (glè:zª)*

J'ai besoin de lentilles de contact. *J'ai cassé mes lunettes.*
Ich brauche Kontaktlinsen. **Meine Brille ist kaputt.**
ich☺ braôrHœ ko'ntakt-li'nz'n *maïnœ brilœ ist kapout*
(je nécessite contact-lentilles) (mes lunettes est cassé)

Pharmacie

Je cherche une pharmacie.
Ich suche eine Apotheke.
ich☺ zou:rHœ aïnœ apôté:kœ

J'aimerais...	**Ich hätte gern...**	*ich☺ Hètœ guèrn*
de l'aspirine.	**Aspirin.**	*aspiri:n*
un bain de bouche.	**eine Mundspülung.**	*aïnœ mount-chpu:l(oung)*
un bandage.	**einen Verband.**	*aïnen fèrba'nt*
des calmants.	**Beruhigungsmittel.**	*bèrouig(oung)s-mitel*

un désinfectant.	**ein Desinfektionsmittel.**	*aïn d**è**zi'nfèktsiô:ns-mitel*
des gouttes pour le nez/ les oreilles/les yeux.	**Nasen-/Ohren-/ Augentropfen.**	*n**a**:z'n-/**ô**:r'n-/ a**ô**g'n-tropf'n*
de l'iode.	**Jod.**	*yô:t*
un laxatif.	**ein Abführmittel.**	*aïn **a**bfu:r-mitel*
des médicaments pour le voyage.	**Reisetabletten.**	*ra**ï**zœ-tablèt'n*
de la ouate.	**Watte.**	*vatœ*
des pansements adhésifs.	**Pflaster.**	*pflast^a*
une pommade (antiseptique).	**eine (antiseptische) Salbe.**	*a**ï**nœ (**a**'ntizèptichœ) zalbœ*
des somnifères.	**Schlaftabletten.**	*chl**a**:f-tablèt'n*
des suppositoires.	**Zäpfchen.**	*tss**è**pfch☺'n*
des pastilles pour la gorge.	**Halstabletten.**	*Halss-tablèt'n*
un thermomètre.	**ein Fieberthermometer.**	*aïn fi:b^a-tèrmomé:t^a*

Rejoignez la communauté des assimilistes sur Facebook

www.facebook.com/editions.assimil

- → actualités,
- → exclusivités,
- → concours,
- → histoire de la marque,
- → nouveautés,
- → extraits audio…

et sur les autres réseaux sociaux :

vimeo.com/assimil

soundcloud.com/assimil

twitter.com/EditionsAssimil

www.youtube.com/user/MethodeASSIMIL

Restez en contact avec la Newsletter Assimil
www.assimil.com

Index thématique

Achevé d'imprimer en décembre 2015

Imprimé en Chine